Bine

5. Opération Ping Pow Chow

Du même auteur ballonné :

Bine, 1. L'affaire est pet shop
Bine, 2. Bienvenue dans la chnoute
Bine, 3. Cavale et bobettes brunes
Bine, 4. Au royaume des 10 000 mouches noires

daniel brouillette

5. Opération Ping Pow Chow

La page la plus passionnante de tout le roman :

Québec
Crédit d'impôt livres
Gestion SODEC
Gouvernement du Québec – Programme de crédit d'impôt pour l'édition de livres – Gestion Sodec
(Amenez-en des crédits, on aime ça !)

Nous reconnaissons l'aide financière du gouvernement du Canada par l'entremise du Fonds du livre du Canada pour nos activités d'édition.
(C'est avec cet argent que nous organisons le barbecue hot-dogs en juillet. Venez en grand nombre l'an prochain !)

Bine, 5. Opération Ping Pow Chow

Daniel « le vieux grognon » Brouillette
info@lesmalins.ca

Directrice littéraire : Katherine « je joue dans une pub de Ford faque chu hot » Mossalim
Éditeur : Marc-André « ma blonde fait de la télé » Audet
Illustration et conception de la couverture : Sylvain « l'affaire est Photoshop » Lavoie et Shirley « gare à ma gastro » de Susini
Mise en page : Marjolaine « j'ai un nom d'épice » Pageau

Dépôt légal – Bibliothèque et Archives nationales du Québec, 2015
Dépôt légal – Bibliothèque et Archives Canada, 2015
(Dépôt de poussière – Bibliothèque de Daniel Brouillette, depuis 1983)

ISBN : 978-2-89657-286-1

Imprimé au Canada.
(Ça tombe-tu bien, c'est notre pays !)

Les éditions les Malins « notre mascotte c't'un chat » inc.
Montréal, Québec

À Jonathan Marcelin,
l'être le plus gentil qu'il m'ait été donné de croiser,
à qui je pense souvent,
mais que je devrais visiter plus régulièrement.

Chaise des matières

(Ceci est une page libre pour que tu fasses un beau p'tit dessin d'une maison avec un soleil, des nuages, un papa, une maman, deux enfants, un chien et un pommier.)

Chapitre 1

Deux boules pour emporter

La brassière de ma mère est disparue, et là, elle capote. «Capoter» est un verbe faible. «Paranoïer» serait plus exact. Elle est convaincue qu'un voleur s'est donné la peine de sortir en pleine nuit pour venir dérober un soutien-gorge de grand-mère décrépit dans notre cour. Il aurait laissé tous les autres vêtements sur la corde à linge, y compris mon t-shirt flambant neuf des Scrapface Terror, et se serait contenté du serre-boules beige. Un scénario quasi crédible. Même un enfant de cinq ans rétorquerait sur un ton fendant: «Voyons, madame, réfléchissez un peu!»

Un vol de brassière... C'est la meilleure! Ma mère aime s'inventer des théories abracadabrantes et monter des dossiers pour des peccadilles. Elle est constamment en train de s'énerver et de gesticuler. Voir s'il y a un marché pour les sous-vêtements usagés. Après les pickpockets, voici les pickbobettes!

C'est l'événement médiatique du mois: le cache-jos de Jojo s'est volatilisé. Je suis surpris que l'hélicoptère TVA ne survole pas notre maison. Les voleurs de Wonderbra qui font abracadabra, quel fléau! Dans les livres d'histoire, on pourra un jour lire que la décennie 2010 a été marquée par les cambriolages de brassières.

Ma mère est assise à la table de cuisine, en robe de chambre, et sirote un café avec un air enragé.

Il fait si chaud depuis une semaine que respirer demande un effort. La canicule nous fesse à coups de trente degrés Celsius et de pourcentages d'humidité assez élevés pour faire friser un punk. Malgré tout, elle se promène avec sa doudoune en flanelle et boit un café qui, je le précise au cas où ce serait uniquement connu des adeptes de Wikipédia, est préparé avec DE L'EAU BOUILLANTE !

– Je suis convaincue que c'est les nouveaux voisins !

La voilà qui accuse en plus. On se croirait à une partie de Clue.

Je soupçonne le Colonel Pas Propre… avec la corde… dans la cour !

Le 1er juillet, une famille bizarre est venue s'installer à côté de chez nous. «Bizarre» est un adjectif faible. «De mal élevés» serait plus exact. Avec les dizaines de maisons à vendre dans le quartier, il fallait que ces hurluberlus choisissent le bungalow adjacent au nôtre.

Au début du mois, comme je me préparais à passer des nuits blanches au royaume des mouches noires[1], je ne m'en étais pas trop préoccupé. Mais

1. Bon, tu commences à comprendre le principe. *Bine*, c'est comme la Bible : il faut le lire dans l'ordre. Et comme dans le grand livre sacré, tout le monde meurt à la fin. Désolé, je viens de te vendre le *punch*…

là, je suis revenu et leur présence est impossible à ignorer, un peu comme la tétine sur le coin de la bouche de madame Béliveau.

Les Dupuis ont pris la place d'un vieux couple qu'on n'entendait jamais à part lorsque le monsieur grattait les vitres givrées de sa voiture trois fois par hiver. Son épouse des cinquante dernières années et lui doivent être morts, je ne sais pas.

Ils auraient pu nous consulter, nous inclure dans le processus de sélection. Pire transaction de l'histoire : deux mangeurs d'All-Bran contre un gros tas avec une bedaine de bière, sa folle de femme qui sacre plus que Mike Ward et qui a son physique de quille, leurs deux jumeaux crétins possédant, à eux deux, moins de dents qu'un hamster ainsi que Killer, leur pitbull, qui jappe dès qu'un être vivant croise son territoire. Moi qui adore les chiens, c'est le seul au monde que je ne voudrais pas adopter.

Tout le voisinage a hâte que la saison froide s'amène pour ne plus endurer les cris de ces colons à minuit, en pleine semaine.

« Ginette, oùcéqualé ma scie sauteuse, tabar💣⚡☠??!! »

Des emmerdeurs professionnels dont l'unique lecture est la circulaire Walmart, pour qui le désodorisant figure sur la liste des articles de luxe et qui considèrent que les Passion Flakie pomme-framboise font partie du groupe alimentaire des fruits. Mais de là à les accuser de vol...

– Voyons, m'man ! Penses-tu vraiment qu'il y a des épais qui volent du linge dans la cour des gens ?

– Tu serais surpris. La société de nos jours...

«*La société de nos jours...*»

Elle me fait rire quand elle me lâche cette phrase. Mautadine de société ! Elle oublie qu'au Moyen Âge, si un désespéré chipait un morceau de pain et qu'il se faisait coincer, on ne lui faisait pas un prix d'ami pour de la mie. On le guillotinait et jouait au basketball avec sa tête. Sinon, on lui attachait les membres à quatre chevaux qui, au signal, partaient chacun dans leur sens. «Sens» dans le sens de quatre directions différentes. Sous cette force, les aines et les clavicules ne résistaient que quelques secondes. Des méthodes un tantinet plus violentes qu'une bagarre au hockey...

– Elle doit être tombée quelque part ou bien elle est restée dans la laveuse.

– Je la trouve pas, j'ai regardé partout.

– C'est pas la fin du monde. Ça coûte combien ? Dix piastres ?

– Es-tu fou, toi ? La mienne valait pas loin de cinquante dollars !

– Cinquante ? Voyons, c'est du tissu beige avec des élastiques de caleçons.

– C'est pour ça que ça me met en maudit. Pis même si ça coûtait des pinottes, c'est une question de principe : tu voles pas la brassière d'une travailleuse honnête !

Jamais je n'aurais pensé que camoufler des mamelons s'avérait si dispendieux.

Appelle donc la police, tant qu'à y être...

– Mets-en une autre.

– C'était ma seule!

Je m'étouffe avec ma bouchée de bagel.

– Yark!!!!! Tu portes toujours la même brassière? Ça doit sentir le clochard!

Mon commentaire l'exaspère et elle ne manque pas de me le souligner en soupirant comme si elle soufflait dans une trompette.

– Voyons, je la lave souvent, à la main!

Dans le lavabo où je me brosse les dents? Ouache!!!

Elle prend une gorgée de café censée la détendre et perd patience.

– De toute façon, ça te regarde pas. Je te dis juste qu'on s'est fait voler. Je t'ai pas demandé de me faire un procès.

Objection, votre honneur!

– Tu vas mettre quoi pour aller travailler?

– J'en mettrai pas, qu'est-ce que tu veux que je fasse?

Enroule-toi avec du Saran Wrap.

– Tu pourrais toujours mettre ton haut de costume de bain.

– Franchement! Il est rose fluo. Ça va paraître, peu importe ce que j'enfile par-dessus.

– Ça va paraître si tu portes rien. Tes seins pendent.

La face lui change. Déjà que son air ne reflétait pas la paix intérieure. Dieu a claqué des doigts et tout s'est arrêté. Sauf ses pensées violentes. Soit elle me gifle, soit elle me place en adoption. Un des deux.

Pourtant, j'ai juste usé de franchise. Je n'ai pas réfléchi aux conséquences. Je viens de me lever, il ne faut pas trop m'en demander. Ce que je donnerais pour ne pas me trouver devant elle en ce moment !

– Merci ! lance-t-elle avec un ton qui ne laisse planer aucune ambiguïté quant à son sarcasme. C'est super fin !

Je ne vois pas pourquoi elle s'offusque. Ce n'est pas de ma faute si elle souffre d'un relâchement au niveau des glandes mammaires. Ma mère a quarante-cinq ans. Ou quarante-quatre ? À moins que ce soit quarante-trois... Peu importe. Elle n'est plus à l'âge d'avoir une poitrine figée à la Taylor Swift. Ses deux tours de Pise ne me dérangent pas du tout.

Je ne sais pas quoi ajouter.

Ferme-la.

Mais je m'essaie. Je dois me rattraper.

– C'est pas grave, m'man. Même si tes seins pendent, je t'aime pareil.

Si je me fie aux spasmes de sa paupière droite, j'aurais dû me taire. Je n'apprends pas de mes erreurs.

Je t'avais dit de rien dire.

C'est donc ben compliqué une mère !

– Peut-être que les gens au bureau s'en apercevront p…

– OK, laisse faire, me coupe-t-elle. J'ai compris, je suis vieille !

Au moins, elle a compris cette partie. Déjà ça de gagné.

– Moi, je suis certain qu'on va la retrouver. Elle est probablement dans le panier à linge.

Elle dépose sa tasse avec violence. Un tsunami de café déborde sur la table de bois. Je n'ose pas lui faire remarquer qu'elle aura un dégât à nettoyer tout à l'heure.

– Je t'ai dit que je l'ai mise sur la corde hier soir, je l'ai pas laissée dans le panier. On n'annonçait pas de pluie cette nuit, je savais qu'elle serait sèche ce matin.

– Peut-être que tu pensais l'avoir lavée, mais que finalement tu as oublié. Ça arrive.

La luminosité de la pièce reste la même, et pourtant, ses pupilles se dilatent au point de donner l'illusion qu'elle n'a plus d'iris.

– Coudonc, tu me traites de vieille, pis là, t'es en train de me dire que je suis folle ?!!!

Non.

T'es pas si folle que ça.

Pourquoi est-ce que je me suis levé de bonne heure, moi ? J'avais l'habitude de dormir tard, mais depuis mon retour de ce fichu camp de vacances-qui-n'en-étaient-pas-du-tout, j'ouvre les yeux aussitôt que le soleil se pointe le bout du rayon. Dans le summum du plate, se réveiller à cinq heures du matin figure pas mal en haut de ma liste, *ex aequo* avec regarder une émission de décoration à Canal Vie. Si j'avais su que je jaserais avec ma mère de ses seins avant la fin du déjeuner, j'aurais fait une promenade, rangé ma chambre, commencé une collection de timbres, je me serais inscrit à une compétition de limbo, n'importe quoi.

La femme la plus frufru de tous les temps se lève, marche vers le lavabo en cognant des talons et y lance son restant de café. Elle ne parle plus. Elle me réserve le traitement «Maman baboune».

Après, elle me sermonne quand, dans mon bulletin, il est souligné que j'ai des comportements immatures. Je regrette, mais lâcher un pet sur le pupitre d'un camarade de classe n'est pas plus enfantin que marcher des talons, lancer sa tasse, refuser de discuter et faire une face de babouin.

J'ai causé assez de dommages pour ce matin, je n'ose plus rien ajouter. Je ne sais plus à quel sein me vouer. Si j'ouvre la bouche pour commenter l'état de ses boules, elle va perdre la boule.

Les adultes radotent sans cesse aux jeunes de dire la vérité. Ah que c'est donc important, la vérité! Mais quand on la leur sert, alors là, ça ne fait pas toujours leur affaire. C'est correct juste si elle est positive. Petite nouvelle pour eux: on est honnête ou on ne l'est pas.

Jocelyne disparaît dans sa chambre en claquant la porte afin de trouver quelque chose de potable et de portable à se mettre sur le dos. Dernière étape avant de partir pour le boulot.

Promotion estivale : j'ai maintenant la permission de me garder tout seul. Cet hiver, elle me laissait en solitaire, mais revenait à la maison le midi pour vérifier si je n'avais pas foutu le feu à la cuisine ou torturé une souris. Sinon, elle me téléphonait aux heures et me questionnait sur mon état de santé. Fais-tu de la fièvre ? As-tu des palpitations au cœur ? Des engourdissements suspects ? Du sang dans tes selles ?

Depuis mon séjour avec les Aventuriers Extrêmes, elle déguerpit le matin vers huit heures et je n'ai pas de nouvelles de la journée. Elle me fait confiance, j'imagine. Ou bien elle travaille en priant les doigts croisés.

Vers neuf heures, bien après le départ de ma mère-pas-de-brassière, on sonne à la porte. Ma nudiste maternelle a dû me répéter dix mille fois de ne jamais répondre aux étrangers, alors je me lève du divan et ouvre, m'attendant à ce qu'un vendeur ambulant emploie tous les moyens pour me convaincre de me procurer une balayeuse ultra légère qui se range par elle-même.

Mais c'est la face à claques de Tristan qui apparaît à la place. Il est comme une poussière, et moi, un aspirateur : nos chemins finissent inévitablement par se croiser.

– Qu'est-ce que tu fais ici, toi?

Il me dévisage comme on méprise un criminel de guerre.

– C'est toi qui as piqué mon vélo, je le sais!

J'anticipais bien des niaiseries de sa part, mais pas celle-là.

– Quoi?

– Mon vélo... C'est toi!

Il articule nerveusement, les poings serrés, à un cheveu de me défoncer la tronche, comme il le dit si bien.

– Mais de quoi tu parles?

– Fais pas l'innocent, je sais que tu es jaloux de ma bicyclette!

Je suis pas jaloux.

Certain que tu l'es.

– Je comprends pas. Tu penses que j'ai volé ton vélo?

– Si.

– Si quoi?

Il paraît déstabilisé.

– Si... dans le sens de «oui». Arrête de changer de sujet.

Je change pas de sujet, exprime-toi comme du monde!

Là, trop c'est trop. Ma mère pète les plombs parce que je m'exprime avec honnêteté, lui m'accuse d'un vol que je n'ai pas commis. Qu'est-ce qui est écrit dans mon horoscope de ce matin?

Aujourd'hui, vous allez vivre une journée de MERDE!

– Réfléchis deux secondes, tata. Quand est-ce que je pourrais me servir de ton bicycle? T'es toujours en train de me suivre!

Mon premier argument l'achève.

– Ah, c'est vrai, j'y avais pas pensé...

Tristan a cette fâcheuse manie de ne pas réfléchir avant d'ouvrir la bouche.

– Mais qui l'a volé, d'abord?

Regarde dans ton horoscope.

– Je sais pas, je suis pas un voyant. Il doit traîner dans ta cour comme d'habitude. Vous avez pas d'ordre, les Biancardini!

– J'ai vérifié partout. Il est plus là.

Il doit être avec la brassière de ma mère.

Je rêve ou bien ses yeux rougissent?

Eille, tu vas pas pleurer, toi?!!!

– Je commençais tout juste à bien me servir des vitesses! dit-il en reniflant.

Pas pantoute!

Je n'ose pas le contredire et lui balancer la vérité en pleine face. Mes proches ne semblent pas apprécier ce qui s'avère ma qualité suprême: la franchise. Il est nul sur une selle de vélo, tout comme moi en planche à roulettes. L'unique fois où j'ai essayé, je me suis foulé la cheville. Et je ne comprends pas le but de se déplacer avec quelque chose de trois fois plus lent qu'une calèche.

– Je crois savoir qui sont les coupables, déclare-t-il.

Je soupçonne des extraterrestres... avec un laser cosmique... dans la cour!

– Je suis certain que ce sont tes nouveaux voisins. Hier, je les ai vus rôder devant chez moi durant l'heure du souper.

Du délire! Ma mère et lui se sont consultés. Les deux ne détiennent aucune preuve et accusent à qui mieux mieux. C'est étonnant à quel point s'habiller comme la chienne à Jacques et boire de la bière à sept heures du matin attirent les suspicions.

– Il y a bien des gens qui marchent pour digérer pis scèner par les fenêtres, Tristan.

– Ouais, mais les frères ont pointé en direction de ma cour. Sur le coup, je comprenais pas pourquoi, mais là, c'est clair.

– T'es sûr que tu t'inventes pas des histoires? T'es bon là-dedans.

Il ne m'écoute pas. Je pourrais lui annoncer que j'ai remporté trente millions de beaux bidous à la loterie et que je compte lui acheter une bicyclette électrique supersonique en cadeau, il ne réagirait pas. Les yeux rivés vers le ciel, il s'imagine dans un film où le héros veut sauver la Terre des mains d'un esprit maléfique. Il serre les poings encore plus fort.

– Tes nouveaux voisins sont des voleurs... et je ne vais pas les laisser faire!

Chapitre 2

Le mot de passe dont je me passerais bien

Maxim se pointe quelques minutes plus tard. Tristan est toujours dans le portique, je ne l'ai pas invité à entrer. Ça ne fait pas partie de mes projets à court, moyen ou long terme.

– Salut, les gars. Qu'est-ce que vous faites ?

– Tristan est venu m'accuser d'avoir volé son vélo.

– C'est pas ça du tout, proteste-t-il. J'ai seulement posé la question.

– Une question qui finissait par un point d'exclamation !

– Donc tu l'as perdu, ton vélo ? conclut-elle.

– Non, on me l'a volé.

Ma « blonde » pénètre dans la maison, sans m'embrasser ou me faire d'accolade. Elle ne le fait jamais si quelqu'un rôde dans les parages... ou s'il pleut... ou s'il fait beau. Bref, depuis notre premier baiser dont je ne garde pas grand souvenir tellement la nervosité me paralysait, j'ai eu droit à deux-trois becs timides sur la joue.

Je croyais que je lui chatouillerais les palettes avec ma langue à longueur de journée, qu'on mélangerait nos salives du matin jusqu'au soir, qu'on se collerait en brandissant un doigt d'honneur à la canicule. Rien n'a changé, à l'exception qu'elle me tient la main lorsque nous marchons en amoureux, c'est-à-dire s'il n'y a personne pour nous surprendre à trois kilomètres à la ronde.

– Est-ce que ta mère a appelé la police ? demande-t-elle.

– Non, je lui ai pas dit. Elle va me disputer et me punir.

Tristan lui explique toute l'histoire sans insister sur le fait qu'il a été idiot d'abandonner sa bécane neuve dans la cour, à la vue des écornifleurs. Disons qu'il a couru après le trouble, comme un campeur qui dort avec un *T-bone* dans son sac de couchage et qui est tout étonné de se réveiller à côté de papa ours.

– Ils ont quel âge, les jumeaux d'à côté ? me questionne Maxim.

– Je sais pas. Ils doivent être en secondaire deux ou trois.

– Sont un peu vieux pour ce genre de vélo là, surtout avec la clochette.

Elle marque un excellent point.

Afin de personnaliser son gain, le vendeur de papier de toilette par excellence s'était procuré une sonnette. Il ne pouvait pédaler trois secondes sans que retentisse un DRING DRING !

– Peut-être qu'ils font du recel, propose Tristan.

Je n'ai jamais entendu ce mot, et pourtant, je suis le roi des dictées. Monsieur invente des termes savants.

– Du quoi ? demande Maxim.

Prix de consolation, je ne suis pas le seul ignorant.

– Du recel. Ils revendent de la marchandise volée.

– S'ils ont revendu ton bicycle, ça va être difficile de prouver qu'ils te l'ont piqué, souligne ma détective préférée.

Je leur précise qu'ils n'auraient pas pu s'en départir si vite. Les gens ne magasinent pas un vélo à six heures du matin.

Élémentaire, ma chère Maxim.

– Il y a juste une façon de le découvrir ! lance-t-elle en courant vers ma chambre.

– Qu'est-ce que tu fais ?

Nous la rejoignons. Elle enlève la pile de vêtements sur ma chaise de bureau et la lance sur mon lit pas fait, à côté de deux autres piles de linge et d'Anorexie, qui raffole des rayons du soleil qui passent à travers ma fenêtre. Le terme « pile » porte bien son nom. Dans mon dôme, les piles s'empilent. C'est le fouillis total, mais mes amis... pardon, Tristan et ma blonde, semblent s'en soucier autant que de leur taux de cholestérol. Comparer ma chambre à une soue à cochons serait une insulte envers tous les porcs du Québec.

Maxim ouvre mon ordinateur préhistorique, dont le ventilateur à l'arrière rote comme le moteur d'une tondeuse.

– Ton mot de passe? me demande-t-elle.

Merde.

– Tasse-toi, Maxim, je vais m'en occuper.

Je n'aurais tellement pas dû en mettre un...

– Non, on n'a pas le temps. Allez, c'est quoi?

Coudonc, y'a pas le feu!

– C'est confidentiel.

– Franchement, t'as rien sur ton disque dur.

Qu'est-ce que t'en sais?

Mais elle a raison. À part la vidéo crampante d'un chihuahua qui danse le *Gangnam Style* et celle d'un *skater* qui se coince le scrotum dans des barbelés lors d'une acrobatie ratée, il n'y a rien. Je ne m'en sers que pour surfer sur le web.

Je me racle la gorge. En inventant mon mot de passe, je ne pensais pas devoir le révéler un jour à mon amoureuse. Je suis gêné. Beaucoup même.

– Humm... euh... prrrout.

– Quoi? Parle plus fort.

– Prrrout.

Elle me regarde avec mépris en réfléchissant à sa prochaine réplique.

– Mais t'es donc ben insignifiant!

Tristan, lui, se tord de rire sur mon lit, par-dessus mes piles.

– Ha! Ha! Ha! Prout!

– J'étais jeune quand j'ai composé mon mot de passe.

– Tu devais pas être si jeune, c'est mon ancien ordinateur que je t'ai donné.

C'est ça que je disais.

Au mois d'avril, Maxim m'a refilé un dinosaure qui traînait dans son sous-sol. Un PC poussiéreux inutilisé depuis belle lurette. Ses parents se sont convertis aux produits Apple. Ils possèdent des Mac, des iPhone, des iPod, des iPad, même Apple TV. Pour le dessert, ils ne jurent que par la tarte aux Apple. Des fanatiques. S'il existait une toilette Apple pour accueillir leurs pommes de route, ils l'achèteraient.

Je ne me justifie pas, la honte m'étouffe. Je n'aurais pas pu prendre «12345», «amour» ou «qwerty», les cinq premières lettres sur la rangée du haut d'un clavier, comme tout le monde? Ma date de fête? Le nom d'un joueur de basketball? «Anorexie»? «Banane pourrite»?

À ma défense, je ne pouvais pas prévoir non plus que Maxim deviendrait ma blonde et qu'elle se déciderait à démarrer mon PC sans mon consentement. Je ne peux pas faire mes choix en fonction de ce qui pourrait éventuellement arriver dans une éventualité éventuelle.

– Il marche pas, ton code niaiseux, grogne-t-elle.

Je m'aperçois de son erreur et sombre dans un sable mouvant de déshonneur.

– Le... le... le «prrrout», faut que tu l'écrives avec trois «r».

Elle soupire de découragement.

– «PRRROUT» en majuscules?

– Non, «prrrout» minuscule.

– Pouhahahaha, prout minuscule! se bidonne l'autre.

– Sérieux, Bine, t'es vraiment épais!

Ben oui, là, j'ai compris.

Je déteste quand les gens jugent.

– J'avais pas réfléchi. Si j'avais su que tu ouvrirais mon ordi, je l'aurais changé!

Ce matin, j'ai droit à des conversations de seins et de pet. Ne manquerait plus que Tristan se coince la bizoune dans son zip de pantalon pour compléter le trio!

– Donc si j'aurais pas ouvert ton ordi, t'aurais pas cru bon le modifier?

– On dit «si j'avais». Les «si» n'aiment pas les r...

– Laisse faire ta grammaire pis pense à un nouveau mot de passe. Y'est pas question que mon chum écrive des niaiseries!

Tristan s'arrête aussitôt de pleurer de rire et arrive sur Terre. Son cerveau traite cette information...

– Vous sortez ensemble? demande-t-il tout surpris, ne sachant s'il doit sourire, nous féliciter ou être jaloux.

Personne ne nous a vus danser un slow et nous embrasser au camp. Et comme Maxim est distante quand Tristan bourdonne autour, le pauvre ne se doute de rien. Il continue à triper sur elle en cachette. Mais elle est toute à moi.

La gaffeuse devient rouge et tente de se rattraper.

– Non, non, «chum» dans le sens d'ami.

– Un ami... qui fait des prouts minuscules, pouhahahahahaha!

– Ah! vous êtes jeunes! On dirait que je suis venue garder deux enfants de maternelle.

Pis toi, t'es pire que ma mère!

Est-ce légal d'insulter son chum de la sorte? Combien de temps suis-je censé endurer la situation? Si ça se prolonge, je casse.

– Bon, c'est quoi ton nouveau mot de passe?

– Euh... C'est confiden...

– EILLE! C'EST QUOI? s'impatiente-t-elle.

Ça y est, je suis un homme maltraité!

Réfléchis à quelque chose d'intelligent.

– Poulet frit, propose le comique qui s'amuse à sauter sur mon matelas.

– Veux-tu ben descendre de mon lit? Tu fais capoter ma chatte!

Je reviens à ma patronne.

– Euh... «MINUSCULE», mais écrit en lettres majuscules. Ce serait original!

Sa moue souligne que je suis le seul à trouver ma suggestion géniale.

– Tu risques de te mélanger avec «majuscule» en minuscules. Quelque chose de moins compliqué...

– Chien.

– Un peu plus difficile quand même!

Vas-tu m'écœurer de même toute la journée?

Avoir su, je l'aurais volé, le vélo de Tristan! Ça aurait été moins insupportable. Voir si quelqu'un allait deviner le mot de passe «chien». Et dans quel but? Regarder le chihuahua se trémousser?

– Croquette de poulet.

– Hé, c'était mon idée! proteste Tristan.

Maxim enregistre mon nouveau code – projet du jour futile, dois-je préciser? –, puis tape «Kijiji» dans Google. Une fois sur le site, elle choisit notre ville, puis entre «vélo» dans la barre de recherche.

– Mon père m'a montré comment ça marchait l'autre jour.

Tristan et moi nous rapprochons de l'écran afin de lire les offres. Des pages et des pages pleines. Pour une raison que j'ignore, un tracteur et une remorque se sont glissés dans les premiers résultats. Nous les épluchons un à un. Ils sont affichés par date. Plusieurs ont été ajoutés dans les heures précédentes.

Une photo miniature au bas de la première page attire l'attention de Tristan.

– Regardez, c'est lui!

Maxim clique sur l'annonce. Nous retenons notre souffle. Pas de doute, le modèle est identique.

BÉCYK A VANDRE. 150 $ NON NÉGOSSIABLE.
ME DÉPLASSE PAS.
POUR VANTE RAPIDE. CALL MOÉ VITE.

Le numéro de téléphone est inscrit juste après.

– Je le savais depuis le début que c'était eux! s'exclame-t-il.

Ta gueule, tu m'as accusé en premier!

– Ça veut rien dire, que je lui fais remarquer. C'est peut-être pas le tien. T'es pas le seul à avoir ce bicycle-là. Et de deux, si c'est le tien, on sait pas plus qui l'a volé.

Par contre, si je me fie au style et au nombre de fautes dans le texte, je n'exclus pas mes voisins.

– Zut, c'est pas lui, réalise Tristan. Ma clochette est pas là.

– Ils l'ont enlevée, suppose Maxim. Ça prend trois secondes.

– C'est zéro vendeur, un hybride pour ados avec une clochette pour enfants.

– C'est pas une «clochette pour enfants», c'est un équipement de sécurité.

Fixée au guidon, elle lui servait à avertir les gens qu'un danger public approchait.

Dring! Dring! Attention, concombre à bord!

– Il faudrait appeler, propose Maxim.

– On peut pas appeler d'ici. Ils vont reconnaître ma voix ou mon nom de famille sur l'afficheur.

Ma mère s'est sûrement présentée le jour de leur déménagement.

– Même chose pour moi, ajoute Tristan. J'ai un accent.

Merci de préciser, on n'avait pas remarqué.

– Donc il faut une cabine téléphonique, les gars.

Je prends deux pièces de vingt-cinq cennes dans mon pot de change qui déborde depuis des mois, nous enfilons nos souliers et sortons.

Sur le perron voisin, papa Glouton sirote une bouteille de Coors Light. Le *smoothie* au chou frisé, il ne connaît pas. J'ai déjà avalé une gorgée de Heineken et je ne comprends pas qu'un humain sain d'esprit puisse aimer cette odeur de mouffette en puberté et ce goût d'eau minérale dans laquelle on a versé de la soupe aux pois.

À ses pieds, Killer respire la bouche ouverte, la langue pendante. Son intelligence est à l'image de celle de son maître.

Je tente de marcher normalement sans les regarder. Pas évident. J'ai l'air hyper suspect. Tellement mauvais comédien. Le théâtre serait mon dernier choix d'activité parascolaire. Je m'inscrirais à des cours de poterie bien avant.

Relaxe, on dirait que t'as un bâton dans le derrière!

Si les jeunes font du recel, c'est clair que le père est impliqué. Je ne veux pas qu'il soupçonne que nous le soupçonnons. Tristan, à ma droite, ne cesse de le fixer.

Lui, quand la subtilité est passée, il devait être chez le dentiste. Un coup de coude l'inciterait à focaliser son attention vers l'horizon, mais le bonhomme risquerait de soupçonner que nous le soupçonnons de soupçonner que nous le soupçonnons.

– Où est-ce qu'on va trouver une cabine ? s'informe Maxim, plus loin.

– Dans l'entrée du Pharmaprix.

La pharmacie se situe à quelques rues de chez moi. Une marche d'au maximum dix minutes. Il est si agréable de me promener sans canot sur mes épaules ou mouches noires qui avalent ma peau tout rond. Il ne s'est écoulé que cinq jours depuis mon retour du camp et je ne m'ennuie pas du tout. Après deux voyages terrifiants de suite, à Ottawa et à Saint-Pouet-Pouet-des-Meu-Meu, quelques semaines tranquilles ne feront pas de tort. Avant la folie du secondaire.

Je profite de notre excursion urbaine pour les mettre au courant du crime terrible survenu cette nuit : le kidnapping de la brassière de ma mère.

– Oh, c'est marrant, ça ! s'excite Tristan.

– Elle a dû tomber quelque part, fait remarquer Maxim.

– C'est ce que je lui ai dit, mais elle est convaincue que c'est nos nouveaux voisins.

Dans l'entrée du commerce, je décroche le combiné et glisse mes deux pièces.

– C'est quoi le numéro de téléphone ? que je demande.

Les deux me regardent comme s'ils se butaient à une question de chimie de niveau cégep. Ils ne l'ont pas noté. De vrais amateurs ! Je ne manque pas de le souligner à Tristan :

– T'aurais pu l'écrire sur un papier !

– Mais pourquoi moi ? Je ne sais pas où tu ranges ton calepin et c'est vous qui étiez devant l'ordinateur.

– Oui, mais c'est ton vélo.

– Bordel, qu'est-ce qu'on fait ?

– Il faut qu'on retourne chez toi, me dit Maxim, honteuse de son oubli.

Pas trop le choix.

– Je me souviens que ça commençait par 450, précise Tristan.

– Essaye 450-123-4567, peut-être qu'on va être chanceux.

– La ferme, ordonne-t-il.

– Qu'est-ce qu'elle a « la ferme » ? Il y a beaucoup d'animaux ?

– Tu m'emmerdes.

Je leur ordonne de m'attendre pour sauver du temps. Heureusement, je porte des souliers de jogging, je suis allergique aux gougounes.

La chaleur frappe malgré l'heure matinale. Ce ne sera pas beau à midi. J'ai rarement autant sué.

Monsieur Gros Tesque est toujours sur son perron, écrasé sur sa chaise de plage. Il lève sa bière pour me saluer. Ou pour me demander : « Irais-tu m'en chercher une autre dans le *fridge*, le grand ? » À moins qu'il me défie? Du genre: « Tu peux essayer de nous coincer, tu réussiras jamais! » Je cesse de courir et lui renvoie son bonjour d'un hochement de la tête.

Les jumeaux sortent au même moment, l'un derrière l'autre. Cheveux rasés au crâne, boxers moulants, camisole blanche, yeux collés, dents croches et écartées, look militaire.

Les scruter côte à côte est la seule façon de les différencier: l'un dépasse l'autre de deux centimètres et est un peu plus costaud.

Deux sosies.

Deux machines à tuer.

Comme Killer, qui se lèche le museau en rêvant à mes mollets.

Le plus grand des deux soldats bâille en étirant ses bras musclés. Tourtière, l'Aventurier Extrême aux pectoraux gonflés, aurait l'air d'une moumoune à côté d'eux.

– Déjà deboutte, vous autres? dit le père surpris.

Ils ignorent la question. Parce qu'ils me regardent. Non, ils ne me regardent pas. Ils me fusillent. Me torturent pour satisfaire leur sadisme. Il y a quelques jours, je les entendais tirer de la carabine à plomb dans leur cour. Jusqu'à ce qu'ils éclatent de rire en faisant éclater la cervelle d'un écureuil, au grand désarroi du toutou qui aurait préféré le croquer vivant.

Sans se consulter, ils ont adopté la même attitude. Ils essaient de m'intimider. Et ça fonctionne.

Je détourne le regard et presse le pas.

En rentrant chez moi, j'en profite pour ramasser le courrier. Le facteur passe tôt, on a dû le manquer de deux minutes. La boîte aux lettres déborde, on croirait celle d'un manoir qui abrite une famille de dix-sept personnes. Je lance la montagne de publicités sur la table de cuisine.

Je dois vivre dans un quartier privilégié parce qu'on a l'agent RE/MAX NUMÉRO UN, notre pizzéria sert la MEILLEURE pizza en ville et le centre d'esthétique n'est rien de moins que LE PLUS MODERNE de la région!

Dans ma chambre, je note le numéro de l'annonce. Meilleure chance la prochaine fois, ce n'est pas 450-123-4567 et encore moins 450-TRI-STAN.

À la cuisine, je me verse un verre d'eau pour mieux le suer en rejoignant mes amis. En le calant, une enveloppe sur la table attire mon attention. J'y reconnais le logo en haut à gauche. L'école privée où Maxim ira dès septembre. J'y ai passé un test pour être accepté. Est-ce mes résultats?

Il faut que ce soit ça. On n'écrit pas «Aux parents de Benoit-Olivier Lord» pour leur mentionner qu'il s'agit du collège PAR EXCELLENCE de la province.

Ouvre, cibole!

J'ignore pourquoi j'hésite. En fait, je le sais parfaitement. J'ai peur d'être refusé et de me retrouver à la polyvalente. Je n'y verrais pas de problème si Maxim me suivait. Mais il n'était pas question que ses parents l'inscrivent n'importe où. Ils auraient les moyens que leur fille étudie sur Jupiter, alors ils ne la balanceront pas dans l'établissement où se ramassent tous les délinquants de la ville. Dont les jumeaux.

– Faites que je sois accepté.

Une similiprière à un similidieu.

Si t'avais été admis, ils auraient appelé. Ils enverraient pas une lettre.

On sait jamais!

Mon estomac se noue et essaie d'étrangler mes poumons au passage. J'ouvre l'enveloppe en tremblant. La feuille a été pliée en trois avec soin.

J'arrête la lecture après le quatrième mot.

Chapitre 3
En audition à l'émission *La Voix*

Je me sens comme une maison qui s'écroule à la suite d'un brasier.

«*C'est avec regret que…*»

Je déchire la lettre en quatre et l'enfouis dans ma poche.

Les hypocrites. Ils n'ont aucun regret, ils jubilent à l'idée de m'avoir refusé.

Qu'est-ce que c'est que ces histoires d'examens pour aller à l'école privée?

Discrimination!

Je paie, ce qui me permet d'être médiocre si je veux. Ce n'est pas de ma faute si je ne comprends rien en mathématiques. Cette matière n'avait qu'à être moins compliquée, comme l'éducation physique, le français ou les récrés. Bien involontaire de ma part si mon cerveau court-circuite dès qu'il traite un nombre supérieur à trois. Me souvenir de ma date de fête me demande des efforts gigantesques, je ne peux certainement pas espérer retenir les tables d'addition. Dans les exercices de soustraction et de division, mes échecs se multiplient.

Il existe une merveilleuse invention appelée le… TÉLÉPHONE! Et de quoi équipe-t-on tous les téléphones intelligents? D'une application de... CALCULATRICE! Et le plus formidable dans tout ça, mesdames et messieurs, est que ces calculatrices connaissent toutes les tables par cœur. N'est-ce pas extraordinaire?

Si au moins j'avais pu tricher. Tous les égoïstes présents cachaient leurs feuilles. Maudites questions à choix multiples! Je n'arrivais jamais à A, B, C ou D. J'encerclais la lettre dont la réponse se rapprochait le plus de la mienne. Mais il est rare qu'une addition donne «à peu près» une somme...

Je ne peux pas croire que Maxim et moi fréquenterons deux écoles différentes. Je pourrais accepter qu'on ne soit pas dans les mêmes groupes, mais là, nous serons aux deux extrémités de la ville. Des récréations à boire mon Yop sans elle. Des heures de dîner à chialer sur la bouffe de la cafétéria sans elle. Des cours d'éducation physique à épater toute la galerie, sauf elle. Des siestes en mathématiques à rêver à elle... sans elle.

Quand va-t-on se voir? Certainement pas les soirs de semaine. Le samedi et le dimanche? Je sais trop bien ce qui va se passer. Ça fonctionnera à merveille en septembre, fidèles aux rendez-vous et excités de nous voir. En octobre, ce sera le samedi OU le dimanche. Une froideur s'installera, et pas juste dehors. En novembre, on se verra deux ou trois fois. Le malaise s'amplifiera. Et en décembre, pouf!, plus de nouvelles. Fini. Elle va s'être fait plein d'amies et un chum plus beau, plus musclé et plus riche. Un clone de Tourtière.

Ma mère avait tout planifié. Son maigre salaire ne lui permettait pas de couvrir les frais de scolarité. Mes grands-parents allaient en payer une partie, tout comme mon père. Elle est experte pour persuader des gens, sauf moi quand vient le temps de ranger ma chambre.

Pour que je bénéficie d'une éducation supérieure, elle était prête à se sacrifier, à couper certaines dépenses. La preuve : elle ne possédait qu'une seule brassière ! Là, elle pourra s'offrir des soutiens-gorges de toutes les couleurs, même en laine de lama du Pakistan si elle le souhaite.

J'ignore comment j'annoncerai la mauvaise nouvelle à Maxim.

Me revoilà avec le numéro de téléphone. Ah puis en passant, Maxim, j'ai été refusé à ton école !

Dis-lui pas, fais semblant de rien.

De son côté, la chance lui sourit : sa meilleure amie Amélie, l'étudiante sage classée numéro un en Amérique du Nord, a aussi été acceptée. Maxim ne se retrouvera pas là seule, à dériver comme une bouteille à la mer. Sans son rire qui égaie mon quotidien, mon cœur, lui, se transformera en île déserte. Un naufrage assuré.

Tristan sera mon seul ami. Il n'a pas fini de me suivre comme un chien de poche. Je sens que ce sera cinq longues années…

Je sors avec moins d'énergie.

Un sifflement, comme lorsqu'un macho aperçoit une pitoune.

– Salut, poulette, se moque l'un des frères, probablement le plus épais des deux s'ils diffèrent à ce niveau.

Je fixe vers l'avant et les ignore.

– Kevin, ferme ta yeule, ordonne le père. Il t'a rien fait.

Je marche comme s'ils n'existaient pas ou qu'une détonation m'avait défoncé les tympans. Surtout, ne pas me retourner. Ne pas les confronter.

J'attends quelques secondes pour ne pas démontrer ma peur, puis cours jusqu'au Pharmaprix. Le vélo de Tristan me passe dix roues par-dessus la tête. Mais bon, je préfère me distraire. Sinon, je vais me coucher en boule dans un coin et pleurer comme une fillette. Je suis surdoué là-dedans.

– Tu l'as ? se renseigne Tristan à mon arrivée.

– Ben non, tsé, j'ai encore oublié ! que je réponds sous le coup de l'émotion.

Calme-toi !

Mettre mes problèmes de côté n'est pas ma spécialité.

Maxim m'arrache le numéro des mains. Son sentiment d'urgence ne l'a pas quittée. Elle désire aider Tristan. Cette cause lui tient à cœur, comme bien d'autres. Si elle savait pour le collège, elle perdrait sa motivation. Je ne veux pas gâcher sa journée.

Elle s'en fout.

C'est pas vrai, elle m'aime!

– J'appelle, taisez-vous.

– Qu'est-ce que tu vas lui demander? s'informe Tristan.

– S'il a acheté le jeu *Minecraft*, le niaise Maxim en me lançant un clin d'œil.

– Mais oublie pas de lui parler du vélo! insiste-t-il.

Disons que le détecteur de sarcasme de notre Français n'est pas le plus développé sur le marché.

– Ça sonne, murmure-t-elle en nous faisant signe «une minute» avec son doigt. Le son est pas fort, j'entends à peine la sonnerie... Ça rép... Oui, bonjour monsieur, j'appelle à propos du bicycle à vendre.

Elle ferme les yeux et bouche son autre oreille. L'appareil est-il défectueux?

– Pardon? Oui, ce serait pour moi (...) Je vais avoir douze ans dans une semaine!

Oups!

Son anniversaire, je l'avais oublié. À titre de chum, je dois lui acheter un VRAI cadeau. Je ne peux pas me contenter de jelly beans au vomi et aux crottes de nez comme à Noël. Un bouquet de roses?

Tiens, Maxim, des fleurs. Bonne fête... Ah puis en passant, j'ai été refusé à ton école!

– Oui... euh... C'est que... Mes parents sont pas là (...) Mais ils m'ont dit que c'était correct (...) D'accord, merci. Désolé de vous av...

Elle interrompt sa phrase et raccroche violemment.

– Le monsieur voulait absolument parler à mon père ou à ma mère !

– Est-ce que c'était mon voisin ?

– Je sais pas, je l'ai jamais entendu parler. Pis le son était pourri. On aurait dit Youppi! qui parlait dans son costume de mascotte.

– Zut, on n'est pas plus avancés, constate Tristan.

– Oh, j'ai une idée ! s'exclame Maxim. Bine, rappelle et prends une voix d'adulte. Tu vas le reconnaître même si ça griche.

– J'ai pas d'autres vingt-cinq cennes, que je réponds, piteux.

– T'aurais pu en apporter plus, maugrée-t-elle.

– Je suis pas une banque !

Oh wow, quelle réplique, mon Bine !

– J'ai une autre idée, renchérit Tristan. On retourne chez toi et on discute avec le monsieur. Comme ça, Maxim va reconnaître sa voix.

Depuis quand est-ce qu'il a des idées brillantes, lui ?

– Ouais, je pense que je pourrais la reconnaître, confirme-t-elle.

Nous ne perdons pas de temps. À une centaine de mètres de la maison, j'aperçois le rocher Graissé et son garde du corps. Pas de traces des jumeaux. Fiou !

– Qu'est-ce qu'on lui dit ? que je demande.

– Laissez-moi faire, dit Tristan d'un ton trop confiant, je sais comment m'y prendre.

Pas sûr de ça.

– On est mieux d'avoir un plan, insiste Maxim.

Je me tourne vers elle.

– Tu pourrais lui jaser de la canicule, les adultes adorent ça discuter de la température.

– Elle peut pas, précise Tristan, sinon le voleur va la reconnaître. Elle vient de l'appeler !

Oups, c'est vrai !

– Parfait, Tristan, je voulais m'assurer que tu suivais ! dis-je pour me sortir de l'impasse.

– Bonne idée, la météo, poursuit-il. Je connais toutes les sortes de nuages : cumulus, stratus, cirrus...

– OK, bravo !

– Je peux aussi parler des Canadiens, il doit adorer le hockey.

– Surtout pas, tu sais même pas le nom du gardien.

– Si.

– Si quoi ?

– Les gars, c'est pas le temps !

Je l'ignore.

– C'est quoi son nom ?

– C'est euh... le gars avec le masque... Carrey... Jim Carrey ! Oui, c'est ça !

Maxim lui serre le bras.

– Oublie le hockey, parle-lui juste de la météo. Tes nuages, c'est super passionnant.

Je leur fais remarquer qu'un téléphone repose sur les genoux de la boule de suif.

– Il vient de recevoir un appel pour mon vélo, j'en suis sûr !

– Chut, postillonne Maxim, il va t'entendre.

Nous nous arrêtons à sa hauteur. La galerie est séparée du trottoir par quatre ou cinq mètres de gazon de couleur identique à ses dents : jaune. Tristan sourit comme si un photographe l'avait imploré de sortir le sourire le plus choupinet de son répertoire.

Alerté, le pitbull se lève, mais son maître le retient par le collier.

– Killer, assis !

La bête obéit.

– Bonjour, monsieur, il fait un temps chouette aujourd'hui, hein ?

Bedon-De-Laine-Et-Bedon-Rond regarde à sa gauche, à sa droite, puis nous dévisage.

– C't'à moi que tu parles, le camembert ?

– Magnifique journée pour une randonnée en vélo, vous trouvez pas ?

Épais !

– Ouin... mais pourquoi tu me dis ça ? Si tu vends du chocolat, la réponse, c'est non.

Pis si on vend de la bière ?

– Je voulais simplement faire connaissance avec le nouveau voisin de Bine.

– Bine ?

– Salut, c'est mon surnom. Mon nom, c'est...

– Charles-Olivier, je le sais.

– Non, Benoit-Olivier, sans chapeau sur le « i ».

– Inquiète-toi pas, j'avais pas l'intention de t'écrire une lettre, affirme-t-il avant d'éclater d'un rire gras.

Je fais signe à Tristan que nous pouvons poursuivre notre route. Maxim en a assez entendu pour l'identifier. Il reste figé là à se laisser sécher les palettes au soleil, ce qui rend mal à l'aise le bonhomme Pillsbury.

– Je peux-tu faire autre chose pour toi, le béret?

Le caillot de sang qui paralysait Tristan remonte dans son cerveau.

– Excitant, le match de hockey hier soir, hein?

Ah non!!!!!

Patapouf s'étouffe et crache sa gorgée.

– De quoi tu parles? La saison est finie depuis deux mois!

– Ouais, je blaguais, hi! hi! Moi, mon joueur préféré, c'est Jim Carrey!

J'interviens avant que la situation dégénère.

– Ha! Ha! Jim Carrey! Maudit que t'es mourant, Tristan. OK, on retourne à la maison regarder notre film.

– Quel film? demande-t-il, tout confus.

Un film avec Carey Price!

Maxim et moi le tirons par le bras et dès que nous entrons chez moi, je m'empresse de questionner Maxim.

– Je... Je suis pas sûre.

– Comment ça, t'es pas sûre? Tu lui as parlé au téléphone il y a dix minutes.

– Le son était mauvais. Pis j'étais nerveuse. J'entendais mon cœur battre dans mes oreilles.

– Pouah, t'étais nerveuse d'appeler!

– Ta gueule, t'étais même pas *game*.

– J'étais *game*, certain! Tu sais très bien qu'il m'aurait reconnu. Fais un effort. C'était lui ou pas?

– Dis que c'est lui, implore Tristan.

– Influence-la pas, toi.

– Je l'influence pas, c'est lui. Je l'ai vu dans ses yeux.

– Moi, j'ai surtout lu dans ses yeux qu'il te trouvait bizarre.

– Désolé, les gars, je sais pas. Je pense que oui, mais je suis pas cent pour cent sûre. Il faut chercher une autre solution. Avez-vous des idées?

Je secoue la tête. On ne peut pas rentrer par effraction dans leur cabanon ou leur maison. À moins que…

Je n'ai pas le temps de partager mes réflexions, Tristan ouvre la bouche.

– Peut-être qu'on pourrait songer à notre plan en regardant le film?

Chapitre 4

Prendre un verre de bière, mon minou

Debout dans la cuisine, nous observons depuis cinq minutes le robinet qui coule. Tout ce qui en sort rime avec tiède. Il faudrait que ma mère tienne un pichet d'eau dans le frigo. Je pourrais en remplir un, mais je n'ai pas le temps. Ma vie roule à cent milles à l'heure. Boire de l'eau à la température de la pièce ne désaltère pas. Ça rafraîchit autant qu'un chocolat chaud. Pourquoi tout le monde a une piscine, sauf moi?

– Mais t'es cinglé! me complimente Tristan, en prenant un verre dans l'armoire.

Je ris.

Je dois avouer que mon plan est risqué. Une haie de cèdres sépare ma maison de celle des voleurs. Si Tristan la traversait, il pourrait jeter un œil aux fenêtres du sous-sol et dans leur cabanon.

Son vélo s'y trouve peut-être. Il n'y a pas quarante endroits pour le remiser en attendant d'encaisser le gros lot. Ils ne l'entreposent certainement pas dans la cuisine, entre le frigo et le lave-vaisselle.

«Marcel, passe-moé le sucre pis tasse le câlibwère de bécyk!!!»

Ils ont placé la niche de Killer juste à côté du cabanon, mais comme il se fait flatter sur le perron avant, c'est le moment d'agir.

– Mais le chien va me bouffer! se plaint notre pessimiste.

Maxim me donne raison.

– Le bonhomme boit de la bière sur son balcon avec lui. Il n'y a rien sur le côté de sa maison, c'est une allée de gazon.

– C'est impossible qu'il te voie, que j'ajoute afin de le rassurer.

– Le chien va me sentir!

– Ben là, tu pues pas tant que ça, pis c'est pas un chien pisteur!

– Allez-y, vous, j'ai trop peur!

– Eille, c'est ton vélo! s'exclame Maxim.

Qu'est-ce qu'il croit? Qu'on est à son service? Que le matin, on va l'habiller, l'aider à faire son p'tit pipi doré sur la toilette et lui couper les ongles?

– T'es ben chanceux qu'on soit là. Maxim et moi, on comptait passer la journée au centre d'achats à l'air climatisé.

Ma blonde sourcille. Rien de plus faux. J'ai aussi peu de fun à magasiner qu'à bâcler un devoir répétitif sur les homophones. Je n'y vais qu'en situation d'urgence, comme lors de la sortie d'un jeu vidéo ou lorsque mon fond de culotte déchire.

Maxim et moi n'avions aucun plan outre nous pogner le beigne, mais je veux que Tristan s'imagine que nous devions fouiner et manger des boulettes panées de viande mystère chez Tiki Ming, et que nous sacrifions notre bonheur juste pour lui. Une énième dette à ajouter à son compte.

Pour tout ce trouble, je pense qu'il devrait m'offrir son vélo si jamais on réussit à le retrouver. Surtout qu'il ne l'a jamais mérité. Au fond, en le faisant disparaître, la vie s'est peut-être chargée de réparer une injustice...

– De toute façon, le monsieur te tuera pas s'il te trouve.

– Mais t'as dit que c'était impossible qu'il me voie!

– C'est impossible, mais si jamais ça arrivait...

– Prétends pas que c'est impossible si c'est possible!

– Les gars, on commencera pas à s'obstiner si c'est possible, impossible, un ti-peu probable ou très probable! Là, Tristan, veux-tu le récupérer ton vélo, oui ou non?

La réponse ne vient pas immédiatement. Il pèse le pour et le contre.

POUR	CONTRE
Récupérer mon vélo	Avoir la chienne
Faire sonner ma clochette	Saigner du nez (probablement)
	Me faire décapiter
	Agoniser, puis mourir
	Servir de nourriture à Killer

– Euh… oui.

– Donc t'as pas d'autre choix, poursuit-elle. C'est la première étape.

Deuxième, si on compte le coup de téléphone, mais je ne la corrige pas. Elle est sur une lancée, au bord de le persuader.

Pour une fois, Tristan a raison d'avoir les quételles. Ce n'est pas moi qui me porterais volontaire. De un, je n'en ai pas envie : le lèche-vitrine m'apparaît alléchant en comparaison de ce lèche-fenêtre. De deux, la peur m'en empêcherait. Peut-être qu'au moment où Tristan scènera dans les fenêtres, une personne passera et l'apercevra. La femme, l'un des deux morveux, le pitbull ou le mari. On ne sait pas comment réagira cet abominable homme des neiges. Est-il violent ? Yéti fou ?

Chose certaine, il n'a pas l'air de quelqu'un qui dédie ses dimanches matins à l'Église. Et si c'était le cas, ce serait pour gazer dans le confessionnal. Au nom du Père, du Fils et du Saint-Esprrrout.

Et les jumeaux. Jamais souriants. Yeux sombres et méchants. Nés pour se battre. Ça ne me surprendrait pas que la famille ait dû déménager parce qu'ils se sont fait expulser de leur ancienne école. Pas besoin d'un médium pour prédire qu'ils iront à la même poly que moi. Et pas besoin d'un psychologue pour comprendre pourquoi je n'ai pas envie d'y aller.

Tristan accepte à la condition que Maxim guette à distance, afin de l'avertir si jamais le soûlon ou Killer quittent le poste de beuverie ou que les frères ont une soudaine envie de jouer à la marelle. Pas bête. Tristan a du flair dans le domaine professionnel de l'espionnage. Il a appris du meilleur : moi.

Nous sortons à pas de souris par la porte-patio. Pas question d'émerger par en avant. Notre mot d'ordre est le titre d'une chanson plate de Céline Dion que ma mère fredonne en cuisinant : incognito.

Moins nous faisons de bruit et moins nous risquons d'attirer l'attention. On ne sait jamais, la bonne femme est peut-être à l'arrière en train d'étendre des bobettes (volées) sur la corde à linge. Avant d'attaquer les gazelles, les lionnes ne donnent pas un concert de flûte à bec. Elles rampent, observent, silencieuses et aux aguets. Je suis Simba, Maxim, Nala, et Tristan, Pumbaa. *Hakuna matata!*

Nos cèdres pètent de santé sur le flanc gauche. Bien touffus. Dignes des plus beaux afros. Ailleurs sur notre terrain, en particulier au fond, ils portent les dures séquelles de nombreuses parties de cachette dans le noir. Il y a là d'excellentes planques. Dommage que j'aie vieilli, j'aimerais pouvoir rejouer à ce jeu...

Tristan et moi nous postons vis-à-vis des minuscules fenêtres du sous-sol des voisins. Elles se trouvent à trois mètres de nous. Nous les entr'apercevons à travers les branches.

Il s'agit d'une maison de plain-pied ordinaire en brique grise. Une réplique de la nôtre, étroite comme la majorité des baraques de ce quartier ni riche ni pauvre. Difficile d'imaginer que quatre cochons s'y entassent. Nous sommes deux dans la nôtre et il manque minimum trois pièces : une deuxième salle de bains, une chambre d'ami et une galerie pour mes futurs trophées.

À notre gauche, tout au bout du terrain, près de la rue, Maxim s'accroupit au commencement des buissons. De son poste de vigie bien dissimulé, elle voit notre lutteur sumo et Killer. On a conclu du signal d'alarme s'ils bougent : elle mimera un X avec ses bras. En théorie : on avorte. En pratique : on décampe au plus sacrant !

Dès que je reçois l'alerte, je n'ai qu'à murmurer à Tristan de se ramener à toute vitesse. Il traverse la haie, on se réfugie dans la maison et le tour est joué. Mais comme je nous connais, nos plans enfantins finissent toujours par se compliquer. *Hakuna matata*... pas certain.

Maxim lève le pouce.

Le champ est libre.

Je donne une tape sur l'épaule de Tristan. Lui aussi a vu le signal de notre vigie, mais je prends mon rôle de capitaine à cœur. Il me faudrait un C sur mon t-shirt des Cockroach Murderers. Et lui un A, non pas pour Assistant, mais pour Attardé.

– Y'a pas de place pour passer, se plaint-il.

– Tasse les branches, elles vont pas te manger.

Il se faufile la tronche entre deux troncs rapprochés et elle coince. Notre Français ressemble à un muffin anglais non coupé qu'on essaie d'enfoncer dans une fente de grille-pain.

– Je suis pris, m'informe-t-il.

Je m'en doutais.

– Attends un peu.

Il commence à s'énerver.

– Vite, mon cerveau est comprimé !

– Chut, baisse le ton.

– Les brindilles me rentrent dans le nez. Ça me pique. Je fais une réaction allergique.

Je saisis l'arbre de droite métamorphosé en étau et tire en direction opposée du toto. Tristan passe dans le camp ennemi. *Hakuna* presque *matata*.

CRAC !!!

Ce n'est pas son crâne qui a cédé. Une branche a flanché, causant, une fraction de seconde, un vacarme suspect. Je me tourne vers Maxim. Elle lève les épaules.

Tout va bien.

Pas d'alerte.

Personne d'autre que nous n'a entendu la branche. Pas même le pitbull.

– Psst ! Vas-y, Tristan.

Le muffin français a des miettes de cèdre jusque dans sa chevelure orange. Il s'en débarrasse tel un chien envahi par des puces. Il se met à quatre pattes et s'approche de la fenêtre, la langue pendante.

– Vois-tu quelque chose ?

– Attends, je commence l'inspection.

Rien du côté de Maxim, elle reste bien concentrée.

– Ils ont une table de ping-pong, les chanceux ! murmure Tristan, envieux.

Une table volée, ouais.

– Il y a un canapé, un abat-jour, des boîtes de déménagement brunes avec des poignées sur le côté, c'est chouette et pratique, ça, c'est la première fois que…

Je m'impatiente :

– Pas besoin de l'inventaire au complet ! Il est là ou pas ?

– Mmm… non. Mais je vois pas bien.

– Ben va voir dans l'autre fenêtre, niochon !

– Ah oui, bonne idée !

« Bonne idée ! »

Il est drôle, lui. Ce n'est pas une idée improvisée sur le coup, ça faisait partie intégrante du plan : espionner par les DEUX fenêtres et ensuite ramper jusqu'au cabanon. Lorsque je lui ordonnerai de retraverser de ce côté-ci, il trouvera ma suggestion tellement géniale qu'il me décernera le prix Nobel de l'intelligence.

La seconde fenêtre est à un mètre de la façade. Le risque s'accroît. Je me relève pour prendre position vis-à-vis Tristan. Des pas à ma gauche. Je sursaute. Maxim est à deux centimètres de mon visage, trop dans ma bulle à mon goût. Si près qu'elle pourrait m'enlever une saleté dans le coin de l'œil avec le bout de sa langue.

– T'es aveugle ou quoi ? Ça fait deux minutes que je te fais signe d'arrêter. Le bonhomme pis le chien sont rentrés dans la maison !

Merde !

Une violente décharge d'adréna-Bine m'enveloppe. Si le bonhomme va au sous-sol, il apercevra une tête de concombre à la fenêtre. Je me retourne vers les cèdres. Tristan est arrivé au second châssis. Je me penche au ras le sol afin de mieux le distinguer.

– Reviens, que je murmure.

Il ne m'entend pas.

Une porte grince et claque à l'avant.

La porte-moustiquaire !

– Calvince, ça fait une demi-heure que t'es aux bécosses, Ginette ! crie notre cible. Es-tu allée dans un buffet chinois, coudonc ?

J'aperçois Tristan se lever et tourner en rond, paniqué comme une belette qui croise une meute de coyotes affamés.

Relaxe, il est parti rasseoir son gros cul sur sa chaise !

Mais un bruit de botte de construction sur une marche de bois vient me contredire. Pourquoi descend-il les escaliers ? Et où est le chien ?

Tristan fonce droit vers nous, sans se soucier de l'emplacement des espaces dans la haie.

De par sa respiration, je sens qu'il s'est blessé et qu'il se retient pour hurler. Une branche lui a crevé un œil ou perforé une troisième narine.

Maxim lui fait signe de se dépêcher.

Il continue sa poussée à la manière d'une déneigeuse qui s'attaque à une rue ensevelie sous trente centimètres de flocons. Les cèdres lui cèdent le passage non sans protestation.

Le bulldozer roux apparaît, le visage tout grafigné. On dirait qu'un enfant de deux ans lui a gribouillé un dessin avec un crayon de cire rouge écarlate. Des gouttes de sang au bord de sa peau attendent le signal pour gicler. Saigner est son loisir numéro un.

Il vient pour nous raconter ses mésaventures avec son ami, monsieur Buisson, mais je lui mets une main sur la bouche pour l'en empêcher. Un bruit de crachat a attiré mon attention.

Une lourde respiration et des pas dans notre direction.

Le voisin s'approche de nous.

Dégage!

Nous nous immobilisons, accroupis par terre.

Je sens une présence de l'autre côté de la grande muraille. Elle ne bouge plus. Toujours ce souffle pesant. Pourquoi Marcel respire-t-il si fort? Après dix rondes contre Jean Pascal, je ne serais pas si épuisé. Les poumons des obèses sont-ils coincés dans la graisse?

Nous nous regardons avec des yeux exorbités. Aucun son ne sort de notre bouche. Nous observe-t-il ou quoi? Qu'est-ce qu'il fout? Il est venu renifler le doux parfum des cèdres?

Je bascule la tête vers l'arrière à la vitesse de l'escargot pour voir ce qui se trame.

Une silhouette.

Il sait que nous nous cachons de lui. Pour une raison que j'ignore, il a appris que nous l'espionnions. Sa vigilance n'était pas noyée dans l'alcool. On peut dire adieu à l'inspection de leur cabanon.

Je m'attends à ce qu'une main velue traverse le voile végétal et me tire du côté obscur d'une seconde à l'autre. Je m'aperçois alors que je serre les bras de Maxim et de Tristan. Très fort. Mes rotules dansent leur gigue habituelle. Je me convaincs de relaxer et me répète qu'il ne peut rien nous faire.

S'il a volé, il est capable de tuer!

Un reniflement.

Quelque chose coule.

Tristan grimace. Des gouttes lui atterrissent sur le visage. Il ferme les yeux et la bouche. Et se débat sans bouger.

Le bonhomme arrose les cèdres ou quoi? Est-il venu vider son restant de bière? Puis une phrase me revient: «Ça fait une demi-heure que t'es aux bécosses!»

Et l'odeur. Cette odeur que je reconnais trop bien.

Le gros dégueulasse est en train de se soulager dans ses haies!

Chapitre 5

Poisson d'avril et poison de juillet

Tristan a la bouche et les yeux fermés, les traits aussi crispés qu'un enfant qui croque dans un citron pour la première fois. Rouge comme une tomate, il est à la veille de tomber dans les pommes. Des gouttes lui roulent sur le visage telles des billes sur un plancher croche. Son t-shirt couleur bleuet est en grande partie mouillé. Un passant croirait que Tristan revient d'une intense session de danse aérobique.

Un soupir, puis le son d'une fermeture éclair. Les pas s'éloignent vers l'avant de la maison. Un second crachat.

Je murmure le plus bas que je peux. J'ai peine à m'entendre.

– Il est parti, mais faites pas de bruit.

En plein milieu de mon champ de vision, Tristan ouvre les yeux. Ses pupilles me présentent le miroir du traumatisme qu'il a subi. L'image reflétée s'apparente à un enfer où brûlent des âmes tordues.

– Bordel, il m'a pissé dessus, le cochon!

Maxim vient pour lui mettre une main sur l'épaule pour le calmer, mais elle se ravise. Il lui faudrait des gants. Tristan se redresse, les larmes aux yeux.

Je ne sais pas quoi lui dire outre des banalités ou des évidences.

Ouin, c'est plate, ça!

Tu dois être choqué!

C'est la goutte qui fait déborder le vase.

Sais-tu que... tu pues!

Es-tu sûr que c'est de l'urine?

Compte-toi chanceux qu'il avait pas mal au ventre...

Une mouffette a déjà arrosé Tristan en pleine gueule, mais venant d'un humain, c'est l'insulte suprême. En temps normal, je rirais jusqu'au crépuscule ou jusqu'à ce que ma mâchoire décroche, mais je suis occupé à inspecter ma personne et à garder le silence.

J'étais collé sur lui, des gouttes radioactives ont forcément atterri sur moi. Debout devant une toilette ordinaire, je peine à viser. Une fois sur deux, je suis obligé d'éponger les dégâts avec des kleenex. Avec tous les obstacles dans la haie, il est irréaliste de croire que le jet a suivi sa trajectoire sans bifurquer. L'idée que l'urine de ce porc pénètre dans mes pores me donne la nausée.

Après un examen approfondi, je constate que je m'en suis sorti indemne. Maxim aussi, si je me fie à son expression soulagée. À moins que ça ait séché à la vitesse d'un éternuement ? Dommage, j'aurais aimé lui prêter un t-shirt des Intestinal Dumplings Projects qui lui aurait fait une élégante jaquette. Je ne l'aurais plus jamais lavé. Je l'aurais conservé dans mon lit comme une doudou, pour en respirer le parfum et m'endormir sur des pensées divines. De quoi chasser la distance qui nous séparera.

Tristan reste figé comme s'il avait participé au *Ice Bucket Challenge.*

– Il faut me désinfecter ! s'exclame-t-il en tremblant.

Regarde pas Maxim, regarde pas Maxim, regarde pas Maxim !

Merde, il fallait pas que je la regarde.

Sans qu'on se donne le signal, on explose de rire en même temps. Parfaite coordination. Le fou rire a défait ses valises et n'a pas l'intention de reprendre la route de sitôt.

– Mais pourquoi vous riez ? Le cochon m'a pissé dessus !

Sa façon de dire « cochon ». Son ton. Son accent. Son impuissance. Plus nous rigolons et plus il nous est difficile de nous esclaffer sans attirer l'attention du voisinage.

– Arrêtez, c'est pas drôle !

Oh que oui !

Mes abdominaux souffrent. Le souffle me manque. C'est pénible de rire autant.

S'il te plaît, j'en peux plus !

– Vite, Bine, je dois prendre ma douche.

– Yark, tu rentres pas chez nous de même, toi.

– As-tu un boyau d'arrosage ?

Je prends quelques secondes pour essuyer mes yeux et évacuer mes quelques éclats de rire retenus prisonniers. Maxim a moins de mal que moi à retrouver son sérieux.

Je me lève et marche vers la sortie d'eau, située tout près de nous, à droite du mur arrière. Le boyau est resté connecté dans la machine à pression bleue Simoniz qu'un collègue de travail a prêtée à ma mère et qu'elle a utilisée en fin de semaine pour désencrasser quelques dalles de patio couvertes de mousse à côté du perron.

J'essaie de retirer le boyau bloqué. Il ne veut rien savoir. Je tente d'éviter de le casser. Pas envie d'entendre parler pendant dix ans de la fois où j'ai brisé l'appareil de son ami, vingt si le collègue en question est son patron.

Je tourne l'embout dans tous les sens. Mais comment le débranche-t-on ? Est-ce que ça prend un diplôme ? Je ne peux pas appeler ma mère au travail pour qu'elle me l'explique.

– Euh, salut, m'man. Comment on enlève le tuyau de la machine à pression ?

– Pour faire quoi ? Tu mettras ton assiette dans le lave-vaisselle après le dîner.

– Pour désinfecter Tristan.

– Il s'est sali en jouant? Oh, peux-tu dégeler un paquet de poitrines de poulet? J'ai oublié ce matin.

– Non, le voisin lui a pissé dans la face.

– En tout cas, je suis contente que vous ayez du fun, mais oublie pas de dégeler le poulet!

Je suis censé être plus intelligent que ça. Surtout plus débrouillard. Un tuyau et une patente à deux roues, c'est tout. Simple comme couper une toast en triangles.

Maxim et Tristan s'essaient tour à tour, tous les deux jugeant que j'ignore comment m'y prendre. Mais ni un ni l'autre ne triomphe là où j'ai échoué.

– Je vais te laver avec la machine, que je lui propose. Il y a un réservoir avec du Hertel dedans.

– Est-ce que ça fait mal, ce truc? demande-t-il en dévisageant le dispositif, pas trop rassuré par ma solution.

– C'est de l'eau, nono! Au pire, ça va pincer un peu, comme un fusil à eau.

– Moi, je sais pas, j'ai jamais vu mon père se servir de ça, dit Maxim.

Je me penche au-dessus d'un interrupteur ayant deux positionnements possibles: MARCHE ou ARRÊT. J'appuie sur MARCHE.

Un bruit de pompe se met à vrombir, cesse deux secondes puis recommence, comme un moteur lorsqu'on écrase la pédale à gaz par à-coups.

J'indique à Tristan de reculer. Je saisis l'espèce de mitraillette, la pointe vers lui et pèse sur la gâchette.

Un filet d'eau s'égoutte. Cette cochonnerie est plus compliquée à utiliser qu'une machine à coudre et ses trois mille commandes.

– C'est tout? demande Tristan.

Tu vois bien que ça fonctionne pas!

– Il doit y avoir un bouton caché, présume Maxim en s'inclinant à son tour pour inspecter.

Elle se relève, bredouille, puis vérifie la valve d'eau, une miniroue métallique rouge reliée au tuyau sortant de la fondation.

– Elle est fermée.

Elle la tourne dans le sens antihoraire et le moteur se remet à roter. Rien n'en sort. Une seconde… deux secondes… puis un geyser jaillit du fusil.

Je visais toujours Tristan, la gâchette enfoncée. La décharge l'atteint au bord de la bouche. Le son est le même que celui d'une gifle. Du coup, j'ai l'impression que sa joue gauche s'est arrachée. Par réflexe, il se tasse du chemin.

– AAAAAAÏÏÏÏÏÏÏÏÏÏÏÏÏÏÏEEEEEEEEEEEEE, PUTAIN!!!!!!!!!!!!!!

Ayoye!

Je ne m'attendais jamais à une pression assez puissante pour décoller la peinture des murs. Je comprends pourquoi le mot «pression» fait partie du nom de l'appareil.

– J'AI AVALÉ DU SAVON!!! BEURK!!! hurle-t-il en crachant dans le gazon.

– Merde, c'est poison, dis-je en laissant tomber le boyau.

– AH NON, JE VAIS ENCORE MOURIR! MAMAN!

Maxim se précipite vers la victime. Elle lui examine la bouche. Sa lèvre supérieure est enflée.

– Vite, de l'eau! Ça goûte horrible!

Nous courons dans la maison par la porte-patio. Tristan cale un verre après l'autre, la température de l'eau étant le dernier de ses soucis.

J'ouvre la porte sous l'évier et saisis le contenant d'Hertel au milieu des produits nettoyants.

– Je me sens pas bien, il faut appeler l'ambulance, c'est grave.

– Relaxe, Tristan, respire, lui indique notre infirmière. J'ai vu et t'en as pas avalé beaucoup.

– Ça dit ici sur la bouteille que c'est biodégradable. Ça doit pas être dangereux.

– Lis les petits caractères en arrière, m'ordonne-t-elle.

Je m'exécute. Sur ce papier de dix centimètres carrés s'entassent autant de mots que dans un dictionnaire. Je comprends le pourquoi de l'invention de la loupe.

– Peut irriter les yeux et la peau... Tenir hors de la portée des enfants... En cas d'ingestion, blablabla, provoquer le vomissement.

Le visage de Tristan devient blanc comme la céramique d'un lavabo qu'on a brossé au Hertel. Ouais, il y a un peu de ça aussi...

– Ah non, j'ai peur de vomir !

– Vite, Tristan, dégueule ! que je lui dicte.

– Mais je sais pas comment.

– Par la bouche, innocent !

– Mets ton doigt dans ta gorge, lui conseille Maxim.

Quoi ?

Je n'ai jamais eu vent de cette technique douteuse.

– Dedans sa gorge ? que je lui demande.

– Oui, il faut pousser la minisaucisse.

– Quelle saucisse ?

– L'affaire dans le fond, l'alouette. Regarde.

Elle ouvre la bouche et me pointe sa luette. Je viens pour lui préciser le mot juste, mais Tristan se fâche.

– Hé ! Ho ! Je suis là, j'existe !

Maxim lui saisit la main.

– Tu prends ton index et tu l'enfonces le plus loin que tu peux.

– Et qu'est-ce qui va se passer ?

– Tu vas vomir.

– Comme par magie ?

Maxim paraît perplexe. Elle ignore quoi répondre à cette question absurde.

– Exactement.

Méfiant, Tristan introduit lentement son doigt dans sa bouche.

– Mets-toi au-dessus du lavabo, j'ai pas envie que tu dégueules sur mon plancher. Je t'avertis, s'il arrive de quoi, tu nettoies.

Avec la laveuse à pression!

Un haut-le-cœur frappe Tristan.

– Je peux pas, ça me lève le cœur.

– C'est ça le but, innocent!

– Ça chatouille trop. Est-ce que tu peux me le faire, toi, Maxim?

– Yark! Je veux pas toucher à ta salive. Tu vas me vomir dans la main!

– Mais non, promis. Le temps file, ma vie est en danger.

J'interviens:

– Dépêche, tu sens la pisse, c'est épouvantable!

Cette fois, il pousse plus loin. Ses yeux deviennent tout mouillés, ses abdominaux se contractent, il émet des sons d'homme des cavernes, mais rien ne sort. Il s'étouffe.

– Ça marche pas ton truc!

– Tu le fais pas comme il faut. Je peux pas te faire de démonstration. Ressaie.

Pendant qu'ils s'obstinent, je lis attentivement l'étiquette à voix haute.

– Premiers soins… Contient des alcools… En cas d'ingestion, appeler immédiatement un centre antipoison ou un médecin... Ne pas provoquer le vomissement. Oups, il faut pas faire vomir!

Ils s'immobilisent et me fixent.

– Bordel, tu me niaises ou quoi? explose Tristan. J'ai failli régurgiter à cause de toi! T'es analphabète ou quoi?

– L'étiquette est pas claire.

Comparable à la peau écailleuse d'une perchaude, on dirait qu'elle a trempé dans l'eau et séché à plusieurs reprises.

– Vite, téléphonez au centre antipoison. Je veux pas mourir!

– Est-ce qu'ils vont venir ici? que je demande.

– Non. Ça, ça s'appelle une ambulance, se moque Maxim.

Ah oui, c'est ça, une ambulance. Merci du renseignement!

Elle court vers ma chambre.

– Je vais chercher le numéro sur Google.

Je me tourne vers Tristan.

– Toi, continue à caler de l'eau.

– Ah, mais là, mon estomac va exploser!

Maxim gueule au loin.

– C'EST QUOI, DONC, TON MOT DE PASSE?

– Euh...

T'aurais dû garder «prrrout».

– Poulet frit? Merde, je me souviens plus.

– C'est «croquettes de poulet», lui répond Tristan.

Elle le remercie.

– J'ai trop bu d'eau, mon ventre est plein, me dit-il, le teint phosphorescent. Je crois que je vais vomir.

– Tu peux pas, c'est écrit sur la bouteille !

Elle revient aussi vite qu'elle est disparue avec en main une boîte de Cheerios au miel et aux noix vide.

– Mais qu'est-ce que tu fais avec des céréales ? demande Tristan qui ne pourrait pas être plus confus.

– Je trouvais pas de papier pour noter le numéro. J'ai pris n'importe quoi qui traînait.

Au moins, elle n'a pas gaspillé une paire de boxers. Des sous-vêtements avec le numéro d'un centre antipoison, ce serait aussi insolite que des bas blancs autographiés par Kanye West.

Je tends le téléphone sans fil à notre survivant et pointe les onze chiffres inscrits à droite de l'abeille maniaque de miel.

– Mais pourquoi est-ce que c'est moi...

– Ça suffit, peste Maxim. On va pas recommencer.

Il compose le 1-800, puis s'arrête.

Une hésitation.

– Est-ce que je dois changer ma voix ?

Chapitre 6
Les Guenilles Fouineuses

Ce n'est pas aujourd'hui que Tristan mourra ou que ses intestins fondront. Pas de saucisse à saveur de Français en vue. Des ambulanciers ne sont pas en route pour lui prêter secours non plus. Comme il n'a avalé que quelques gouttes de désinfectant mélangées à de l'eau, la dame au bout du fil lui a mentionné de ne pas s'affoler, qu'il s'agissait probablement d'une fausse alerte. Des allégations censées diluer ses soucis.

Ce qu'elle ignorait, c'est que l'inquiétude est la meilleure amie de Tristan. C'est comme si elle lui avait demandé de lire à l'envers la phrase « plus facile à dire qu'à faire » : plus facile à dire qu'à faire !

Au plus plus pire des pires, il aura des maux de ventre, des flatulences au parfum de fraîcheur printanière et/ou une diarrhée savonneuse. De quoi lui nettoyer les tripes à fond. Rien de tripant.

Miss Antipoison lui a par contre servi une mise en garde ferme. S'il en vient à vomir ou à cracher du sang, nous devons composer le 911 sans tarder.

Wow, quel conseil judicieux ! Une chance qu'elle nous l'a mentionné. Sinon, en le voyant tousser et crachouiller son hémoglobine, mon réflexe aurait été de lui offrir un piment jalapeño ou de lui demander un solo d'harmonica. Elle ne l'a pas précisé, mais si jamais sa langue se détache de sa bouche, il ne faut pas courir chez Rona acheter de la Krazy Glue.

Hertel Biancardini est justement de retour avec son sac à dos et ses cheveux roux tout humides. Il était allé se changer chez lui. Il ne s'est pas biodégradé entre-temps. Comme il demeure en diagonale, ça n'avait pas été trop de trouble pour lui. Il en avait profité pour sauter dans la douche, lui qui est habitué de prendre son bain avec son canard jaune en plastique.

– Ma mère m'a fait caler un litre d'eau, annonce-t-il avec la fierté d'une adolescente qui vient de croiser Lady Gaga chez Subway. Je sens le liquide bouger dans mon estomac, ça fait flouk-e-flouk.

– Est-ce qu'on peut savoir pourquoi tu as le même t-shirt que tantôt ? demande Maxim.

Ouache !

Moi et mon sens de l'observation aussi nul que mon sens de l'orientation, je ne m'en étais pas aperçu. Il portait un chandail bleu avec le numéro 18 blanc imprimé sur la poitrine et il revient avec le même, mais plus serré et sec. Il l'a fait sécher à chaleur supérieure sans le laver ou quoi ? L'idée me dégoûte.

– J'en raffolais, alors ma mère m'en a acheté de plusieurs tailles. Là, je porte celui de l'an dernier. J'en ai un troisième extra large, je flotte dedans. Je crois qu'il va me faire en secondaire deux.

T'es bizarre.

– T'es bizarre, commente Maxim, qui saisit chacune de mes pensées.

On va si bien ensemble!

Il aurait au moins pu choisir un numéro différent pour chacun, il devait y avoir plusieurs modèles, plusieurs couleurs. Je garde ma remarque pour moi, cette conversation m'intéresse autant qu'une discussion sur l'augmentation du prix du fromage mozzarella et son impact sur la survie des pizzérias.

– Et ma mère dit que j'ai l'air musclé dans un t-shirt moulant.

La gorgée d'eau que Maxim avalait lui sort par le nez. Elle éclate de rire. Je me joins à elle avec un plaisir monstre. Toutes les occasions sont bonnes pour se moquer de Tristan.

Des muscles! La blague de l'année. Il n'a aucun biceps. Il en est si dépourvu qu'il faudrait enlever le «s» final à ce mot. Je ne suis pas mieux. Lui et moi sommes les fondateurs du Club de la peau-et-des-os, un organisme à but non nutritif. En bedaine, nous ressemblons à des bonshommes allumettes. Nous possédons des ti-bras et des ti-tibias.

– Mais pourquoi vous riez? Ça vous est jamais arrivé d'acheter plusieurs exemplaires d'un morceau de vêtement que vous adorez?

Euh... non!!!

Je fais semblant de reprendre mon sérieux en m'éclaircissant la gorge.

– Oui, oui. Moi, j'aimais tellement mes bas noirs que ma mère m'a acheté un paquet de six paires.

Ma blague fait mouche et Maxim rit de plus belle.

On croirait que Tristan a emprunté le chandail de son jeune frère. Heureusement ou malheureusement, c'est difficile à dire, il est enfant unique. Très unique.

– Quelle est la suite du plan? demande-t-il pour changer de sujet et éloigner les railleries.

Bonne question. Excellente, même. Le sérieux revient pour vrai, cette fois. Nous nous regardons en espérant qu'un de nous ait un flash de génie. Je m'attends à ce que ce soit moi, comme d'habitude.

Aucune proposition.

Tristan dépose son sac à dos mauve et s'assoit à la table.

– Il est beau, le complimente Maxim.

– Merci!

– C'est vrai qu'il est super cool, ton sac de fille!

– Très drôle, Bine. Tu es jaloux?

– Sûrement! Qu'est-ce que tu fais avec ça? Tu t'en retournes faire de la survie en forêt?

– Ma mère m'a mis de la crème solaire, une gourde et des vêtements de rechange.

– Donc tu peux te rechanger tout de suite.

– Toi, t'es pas mieux avec tes chandails de groupes débiles!

– Débile, toi-même!

Des jappements et des voix à l'avant attirent notre attention. Nous accourons vers la chambre de ma mère. Par la fenêtre, nous apercevons les jumeaux et Marcel entrer dans la voiture. Le pitbull essaie de se tailler une place à bord, mais son maître le renvoie.

– Killer, va dans ta niche !

La bête obéit et disparaît sur le côté de la maison, caché par la haie.

– Revenez pas trop tard, là ! gueule Ginette de la maison.

– Attends-nous pas pour souper, répond Marcel.

L'auto en piètre état décolle en boucanant.

Maxim réfléchit à voix haute :

– Il faudrait qu'on trouve le moyen de pénétrer dans la maison.

Quoi ?

Constatant que nous ne réagissons pas, elle répète :

– Si jamais ce sont des bandits, il va y avoir du stock volé un peu partout. Pour en avoir le cœur net, il faudrait rentrer dans leur maison.

T'es folle !

– Non, non, non et non ! s'oppose Tristan.

– C'est parce que, au cas où t'aurais pas remarqué, Maxim, la bonne femme est là.

– J'ai pas dit qu'il fallait l'attacher à une chaise non plus. Faut juste qu'on trouve un moyen de se faire inviter à l'intérieur et bingo !

– Ben oui… « Eille, bonjour ! Est-ce qu'on peut aller écouter la télé dans votre salon ? Pis si ça vous dérange pas, notre ami Tristan va fouiller un peu. »

– J'ai un cousin qui peinture dans des maisons l'été pour gagner de l'argent, intervient le fouilleur concerné. C'est son boulot étudiant. Il est riche, il s'achète tout plein de paires de souliers de basketball.

– Pis tu penses qu'elle va te laisser peinturer sa cuisine? La seule peinture que t'as faite dans ta vie, c'est de la peinture à numéro en maternelle.

Je crois qu'il subit les effets secondaires du Hertel. Maxim ne semble pas trouver l'idée si idiote. Elle a dû en respirer les vapeurs.

– Peut-être pas de la peinture, les gars, mais on pourrait offrir un service auquel elle pourrait pas dire non.

– Livreur de bières?

– Bine, t'es négatif, on n'arrive à rien avec ton attitude.

Oui, madame!

– Du ménage! s'exclame Tristan avant que j'aie le temps de répliquer. On voit ça des fois, des gens qui font faire leur ménage par une femme.

– Pas juste des femmes, proteste la féministe.

J'ai les amis les plus stupides de la Terre. Ma mère répète souvent que l'imbécile ultime de la planète est le Doc Mailloux, un barbu unijambiste que je ne connais pas trop, mais elle changerait d'opinion si elle les entendait.

Du ménage? Pourquoi pas de la couture un coup parti? Nous sommes zéro crédible. Si un jeune de douze-treize ans cognait à notre porte et nous offrait de venir passer l'aspirateur et de torcher nos saletés, Jojo le remercierait gentiment et inventerait une excuse du genre «notre balayeuse est brisée» ou bien «nous n'avons pas de poussière». Dans les faits, un ado ne peut pas exceller en décrassage. La seule chose qu'il sait brosser, c'est ses dents!

– C'est une super bonne idée, conclut Maxim.

Je tente de mettre un frein à leurs fabulations. Mes sans-génie ont cette vilaine manie de nous délirer des plans dérisoires dignes des contes des mille et une niaiseries. Tant qu'à y être, on pourrait frotter une lampe merveilleuse et attendre qu'un génie apparaisse pour formuler trois vœux.

– Ginette va rire de nous.

Orgueilleux!

– Je suis prête à gager que je suis capable de lui vendre nos services.

– Je peux gager dix millions. Veux-tu gager toi aussi, Tristan? J'ai besoin d'argent facile. Je veux acheter une piscine.

– Euh... non, maman m'interdit de faire des paris.

– Qu'est-ce qu'on gage? me défie Maxim.

Un french juteux de deux minutes.

Je réfléchis un instant.

Anorexie, dans un rare moment d'éveil, passe dans mon champ de vision pour aller fabriquer je ne sais trop quoi de fondamental dans la vie d'un félin paresseux. Elle me miaule la réponse.

– Une cuillérée à soupe de bouffe à chat ! Pas des grains secs, une cacanne de bouette molle qui pue.

– Ah, vous êtes dégoûtants, réagit Tristan.

Merci !

– Marché conclu, dit-elle en me tendant la main. J'ai bien hâte de te voir manger à quatre pattes dans le bol d'Anorexie.

– C'est ce qu'on va voir, *loser* !

C'est moi qui vais perdre.

Ben non, je vais gagner.

Voilà un bail que Maxim et moi n'avions pas parié. Cet hiver, elle devait se farcir de sardines, mais la conséquence avait été effacée, je ne me souviens plus pourquoi. Et au printemps, j'ai avalé une cuillérée de Tabasco après m'être incliné à un tournoi de Huit, un jeu de cartes qu'une autruche comprendrait et que nous apprécions. Notre quatre de sept s'était transformé en neuf de dix-sept que j'avais perdu par deux parties. Elle pigeait tous les jokers, la chanceuse !

Du manger à chat, ce sera hilarant. Pas question qu'on annule la pénitence. Oh que non ! Si je triomphe, en tout cas…

Elle oublie un truc important.

– S'ils cachent le vélo de Tristan dans le cabanon, on sera pas plus avancés.

– C'est vrai, ça, confirme-t-il.

– C'est une chance à prendre, réplique-t-elle. À cause du chien, on n'a pas le choix de laisser tomber le cabanon.

– C'est vrai, ça.

– Pis comme je disais, si on trouve quinze télés, ça va confirmer nos doutes.

– C'est vrai, ça.

– Eille, le perroquet, ça va faire!

– C'est vrai, ça.

Nous discutons de la stratégie et nous mettons d'accord après une dizaine de minutes. En fait, eux se mettent d'accord, et moi, je rejoins le troupeau. Pas que je veuille absolument remporter mon pari, je ne tiens pas à nuire, j'aime gagner en bonne et due forme, mais je ne crois pas une seconde à leur plan, si on peut qualifier le tout de plan. Je ne suis pas négatif, plutôt réaliste: sacrée différence!

– Il faudrait qu'on pratique, dit Maxim, car on n'aura pas une deuxième chance.

– On pourrait aller chez d'autres voisins en premier, suggère Tristan.

– Ça nous prend un nom d'entreprise, continue-t-elle.

Notre compagnie, sans nom pour le moment, proposera l'entretien ménager. Les taches de sauce à spaghetti s'amoncellent dans votre four à micro-ondes? Pas de problème, les sans-nom sont là! Trois tonnes de poussière s'accumulent sous votre divan et un garde-manger se dissimule entre les coussins? Pas de problème, les sans-expérience sont là! Des traces écœurantes beurrent votre cuvette de toilette? Pas de problème, Tristan est là!

Ginette n'est peut-être pas au courant de la combine de son mari et de ses fils. Et si elle l'est, elle ignore probablement que le vélo inconnu appartient au Français qui lui vend ses services avec son sourire du dimanche. Comme le dit Maxim, voilà une chance à prendre. Avec Pitbull qui surveille le terrain arrière en l'absence de son maître, l'option espionnage est à oublier.

Notre offre doit être des plus concurrentielles. Il faut qu'elle accepte et que nous commencions sur-le-champ, avant le retour du yéti.

– Moi, je vote pour la première lettre de nos prénoms, dit Tristan. Ménage TMB, c'est chouette, non ?

– Pourquoi tu mets ton nom en premier ? Pourquoi pas le mien ? Ménage BMT.

– On dirait un sandwich bacon-mayo-tomate, commente Maxim. C'est pas original et il faudrait que le nom dise clairement ce qu'on vend.

– Ménage BMT, ça peut sûrement pas être une compagnie de dressage de belettes. C'est super clair.

– Oh ! s'exclame le buveur d'Hertel, ça me donne une idée : Super Propre !

– Ben non, nono, on dirait une sorte d'essence.

– Très Propre, alors ?

– Il faut que ce soit un nom, pas un compliment. Aussi bien appeler ça Très bien ou Bravo.

– Ouais, bonne idée !

Nous consacrons les minutes suivantes à nous obstiner sur le nom de notre entreprise. Une sale corvée. Nous essuyons tour à tour des refus. Chaque proposition passe au tordeur comme une moppe dans son essoreuse : Les Balayeuses Compulsives, C'est Sale Chez Vous, Top Moppe, Les Guenilles Fouineuses, À Mort La Crasse et Les Décrotteurs. Un remue-méninges dans tout ce qu'il y a de moins productif. Nous voilà guère avancés...

– On n'est pas obligés d'avoir un nom, que je mentionne, à bout d'argumentaire.

M'obstiner est un loisir que j'adore, mais il y a des saintes bénites de limites. Le mercure s'élève à trente mille degrés, je sue des omoplates, j'ai soif, je suis pris à enquêter pour retrouver un vélo qui n'est pas le mien et nous perdons notre temps avec des détails.

Et Dieu sait que notre temps est compté !

Je leur explique que les gens se foutent du nom. Les jeunes qui tondent la pelouse pour vingt dollars n'ont ni nom d'entreprise ni cartes professionnelles et ça ne les empêche pas de se faire engager. Idem pour les gardiennes.

– Je suis d'accord, appuie Tristan.

Maxim réfléchit un instant, puis hoche la tête.

– Allez, on dîne vite vite et après, on y va !

Chapitre 7

Trois cabochons pour le prix d'un

Leçon d'espionnage numéro 273 : toujours garder ses ennemis en vue.

Nous choisissons la maison en face. L'endroit idéal pour tenir à l'œil mes voisins malhonnêtes. Au cas où ils reviendraient plus tôt que prévu.

Une dame d'à peu près soixante ans y demeure avec son mari. Ils m'ont toujours semblé sympathiques. Mieux vaut s'initier à l'art de l'entrepreneuriat avec des gens qui savent vivre. Je ne les vois qu'à l'occasion. Chaque fois, j'ai l'impression qu'ils reviennent de l'épicerie : ils sortent des sacs réutilisables du coffre arrière. Tout le temps. Soit ma mémoire me joue des tours, soit ils cachent une famille de Mexicains au sous-sol.

Nous traversons.

Le soleil nous caresse de ses mains ardentes en ce début d'après-midi. Mon t-shirt me colle à la peau. Je le pince à deux doigts et le secoue pour me ventiler la poitrine. Je ne sais pas à quoi pensent les groupes heavy métal en imprimant leur logo sur du coton noir. Une tête de mort serait tout aussi *destroy* sur un t-shirt blanc. Un jour, quand je serai le chanteur des célèbres Crazy Horse Mucus, je lancerai une nouvelle mode vestimentaire.

– T'aurais pu laisser ton sac à dos pour femmes chez moi !

– Fous-moi la paix, c'est un sac UNISEXE. Et ma mère m'a dit que je devais boire beaucoup d'eau pour éliminer plus rapidement les produits toxiques.

Tristan étend le bras pour sonner, mais je l'arrête en empoignant son index.

– C'est moi qui pèse.

Il se défait de mon étreinte et me défie du regard. Il a de moins en moins peur de moi. Son chandail moulant bambino et ses muscles supposément hyper apparents lui donnent de la confiance.

– Non, c'est moi.

– C'est MES voisins.

– Oui, mais c'est MON vélo.

Maxim grogne pour attirer notre attention, puis lève les mains au ciel.

– Sérieux ? Vous vous battez pour savoir qui va sonner ? Vraiment ?

T'es bébé la la !

Je me ressaisis.

– Ben non, je niaisais. Vas-y, associé, sonne !

– Non, à toi l'honneur, partenaire, répond-il avec une voix de mauvais comédien.

Maxim s'impatiente et écrase la sonnette.

La femme, dont je n'ai jamais su le nom, nous ouvre quelques secondes plus tard et me reconnaît.

– Oh, tu es le grand d'en face. Charles-Olivier, c'est ça ?

– Non, Benoit-Olivier.

– Ah, c'est ça ! Je savais qu'il y avait un Olivier là-dedans. Qu'est-ce que je peux faire pour vous ?

– Eh bien, madame, c'est votre jour de chance, commence Tristan.

– Est-ce que j'ai gagné à la loterie ? ricane-t-elle.

Il éclate de rire. Maxim se force pour se bidonner à son tour. Elle me donne discrètement un coup de coude. Je l'imite, non pas en lui retournant un coup vicieux, mais en me désopilant.

Technique de vente numéro 37 : flatter le client dans le sens du poil. S'il raconte une anecdote bidon, écoutez-le avec la même attention que si Sydney Crosby décrivait son but victorieux aux Olympiques. S'il aime la pêche, dites-lui que vous élevez une barbote domestique à qui vous apprenez à faire la belle.

– Mes amis et moi offrons des services d'entretien ménager à tous les gens du quartier.

– C'est une activité de financement ?

– On fait ça pour le plaisir, enchaîne Maxim. Pas du bénévolat, là. On avait le goût de travailler.

Un argument béton surgit dans mon esprit sans avertissement :

– Sinon, on passe notre temps devant la télé à jouer à des jeux vidéo violents.

La dame paraît satisfaite. Nombre de fois où j'ai entendu parents et enseignants se plaindre que les jeunes ne pensent qu'aux jeux vidéo. À les croire, nous nous brossons les dents d'une main et mitraillons des zombies de l'autre. Pas drôle, la jalousie. Ils essaient de se convaincre que s'ils avaient eu un Xbox One, ils auraient préféré continuer de jouer avec les mouches!

– Ah, c'est bien. Donc vous coupez le gazon?

– Nous lavons votre maison, précise Maxim.

– La brique?

Coudonc, elle ne comprend rien, elle.

– Tout l'intérieur. Vos planchers, la cuisine, les toilettes. Comme une femme de ménage, sauf qu'on est trois.

– Trois as pour le prix d'un! ajoute Tristan, tout fier de son simili slogan.

Notre victime potentielle se gratte la tête, mal à l'aise, regarde derrière pour je ne sais trop quelle raison, à la recherche de son mari peut-être, puis revient à nous.

– Avez-vous déjà fait ça? Vous êtes jeunes...

– C'est notre deuxième été, madame, que je lui dis. Nous avons des dizaines de clients satisfaits. On peut vous fournir des références si vous voulez.

Tristan a les billes rondes d'un chevreuil éclairé par les phares d'un pick-up qui s'apprête à le charger d'une violente pichenotte de mille kilos d'acier. Il vient de comprendre que je mens et se sent pris en souricière.

Détends-toi!

Il n'a qu'à se taire et tout ira bien. Le maître sait où il s'en va. Mais s'il ouvre la bouche, je ne peux pas lui flanquer une bine sur le bras, une claque derrière la tête, lui écraser le bout des orteils du talon ou lui crier : «Ta gueule»! Pas très professionnel pour l'émérite président-directeur général de Top Moppe, de loin le meilleur nom sorti de notre intense session de remue-méninges-bitchage-d'idées.

La femme réfléchit en se mordillant la lèvre du bas. Comment se débarrasser de nous sans nous froisser? Après tout, il s'agit d'une démarche honorable.

– Vous chargez combien?

– Vingt dollars! annonce Tristan. Un prix imbattable!

Mais non, idiot!

Je sens la panique chez Maxim. Pas besoin de lui analyser les traits, j'en ressens les vibrations. Si une partie de moi capote en ce moment, je me doute qu'elle vit la même émotion. Connexion chum-blonde.

Nous nous étions entendus pour proposer un montant dérisoire afin que Ginette accepte notre offre sans hésiter. Mais cette gentille dame ne compte pas dans l'équation, c'est une pratique, je ne désire pas me muscler les coudes chez elle. Nous n'avons pas une minute à gaspiller. Fait-il exprès pour que son vélo lui échappe des mains? Il a perdu les pédales et je dois rattraper le fiasco.

– Vingt dollars chacun.

– Chacun?

– De l'heure, précise Maxim.

– Vingt dollars chacun de l'heure?

– Oui.

– Donc trois heures... cent quatre-vingts dollars???

Yeah!

– Euh... exact, répond Maxim qui voit bien que ça n'a aucun sens.

La dame fronce les sourcils.

– Attendez, je crois que vous êtes mêlés, les copains. Vous dites les trois des choses différentes. Vous chargez combien à vos clients habituellement?

Je n'avais pas songé à cet aspect. Combien gagnent les femmes de ménage en temps normal? Sûrement pas grand-chose, elles ne roulent pas en Mercedes. Sont-elles payées de l'heure ou travaillent-elles à un prix fixe? J'ignore le salaire des tourneux de hamburgers chez Burger King, tout comme celui de ma mère. Pis encore, à part ouvrir des dossiers et entrer des formules dans Excel, ses tâches précises me sont étrangères.

– Mes amis sont nerveux, reprend Tristan. Vingt dollars, c'est notre spécial «Canicule»!

Non!

– Pour vingt dollars, je veux bien vous encourager. Quand est-ce que vous voulez venir?

Trop tard.

– Mais... commence Maxim.

– Tout de suite, madame! s'exclame-t-il avec son sourire radieux.

Chapitre 8

Au royaume des 10 000 miettes noires

Des minous par dizaines. Pas des vivants qui s'ébattent avec des souris en plastique, des mottes de poussière. Elles se la coulent paisiblement sous les meubles, mais dès que j'en tire un, alerte générale, elles virevoltent et tentent de s'échapper. Certaines dépassent la taille d'une balle de golf. Sans pitié, je les *putte* avec mon aspirateur. Trou d'un coup !

Une inspection en profondeur de mon domicile révélerait autant d'atrocités. Mais d'où vient toute la saleté ? Et pour quelle raison la poussière est-elle grise ? Trois cheveux blonds, quelques particules de sable et un Corn Flake : quelques jours plus tard, réaction chimique ou magique, tout tourne au gris.

Longue et étroite, cette salle familiale ressemble à une allée de quilles. J'ai presque terminé. Après, je m'attaque à la salle de lavage, la seule autre pièce de l'étage. En fait, non. Il y en a une autre au pied des escaliers, mais on nous a ordonné de ne pas y entrer.

Maxim et Tristan se partagent le rez-de-chaussée. Sachant qu'il n'y avait pas de toilettes au sous-sol, je m'étais porté volontaire pour travailler en solo.

Je voulais surtout me tenir loin de Tristan, le temps de me calmer. J'avais juste le goût de lui enfoncer l'embout de la balayeuse dans sa grande gueule et de lui aspirer toute son imbécilité. À cause de lui, nous devions nettoyer une maison au grand complet pour vingt minuscules dollars. Une fois ce montant séparé en trois, pas besoin de calculatrice pour réaliser que je ne récolterai pas bien bien plus de cinq dollars. Un salaire de l'Antiquité pour épousseter des antiquités.

Je tire le plus imposant des deux divans afin d'en déceler tous les trésors cachés. S'ouvre à moi un domaine peuplé de miettes. Mangent-ils des toasts devant *Salut, Bonjour!* et après le déjeuner, hop! ils poussent les miettes tombées par terre sous le fauteuil? Surprenant que les fourmis ne se soient pas jointes au party. À leur place, je me creuserais une fourmilière à proximité, il y a de la nourriture pour leur permettre de survivre dix ans.

On jurerait que la dame qui nous a embauchés n'entretenait plus la baraque, espérant qu'un jour trois cacahuètes viennent lui décrasser ses planchers *crunchy* pour des pinottes. Son vœu n'est pas passé dans le beurre; me voilà à lancer des regards assassins à des granules qui disparaissent à jamais dans un tunnel sans lumière.

Crotté à ce point, je serais gêné! Ma mère n'engage pas de femme de ménage parce que nous n'en avons pas les moyens, mais aussi parce que c'est beaucoup trop sale. Elle serait du type à tout torcher avant l'arrivée de la bonne pour éviter qu'on la juge. Et personnellement, je ne souhaiterais pas qu'une étrangère vienne tripoter mes bobettes, les propres comme les sales.

Je ne me souviens pas de la dernière fois où j'ai manié un tuyau de balayeuse. Je n'ai plus aucune tâche ménagère. Ma mère n'en pouvait plus de se battre pour que j'essuie la vaisselle, mette la poubelle au chemin le mardi soir et autre niaisage du genre. Elle a abdiqué, ça lui siphonnait plus d'énergie de me botter le derrière que de l'accomplir elle-même. Elle en a mis du temps à le comprendre ! Depuis, la paix règne, elle ne me demande plus rien. Elle cuisine, moi je mange et lui dis que c'est délicieux. Je fais mon lit à Noël, à Pâques et à la fête des Mères pour la gâter.

Comme notre compagnie Top Moppe Taouins rime avec broche à foin, tout notre matériel nous a été fourni. Je bénéficie d'un aspirateur central. Pas de chariot à déplacer ou de sac à vider ! Des conduits invisibles serpentent l'intérieur des murs, sortes de montagnes russes pour poussière. Ce qui est fantastique avec ce système, c'est que le boyau mesure des mètres de long. Je pourrais sillonner la salle deux fois sans bloquer. Tout l'opposé de notre balayeuse ayant la forme d'une coccinelle, dotée d'un boyau d'un mètre et incapable d'avaler un grain de riz sec. Si je disposais d'un équipement de pro comme celui-ci, je serais plus enclin à participer aux corvées.

Gisèle, tel est son nom, nous a prêté un plumeau quatre couleurs, rouge-jaune-vert-bleu, mais j'ai mis une croix sur l'époussetage. Jouer les majorettes avec un pompon fluo, non merci. La balayeuse se charge de tout. De ses poils raides, elle caresse les meubles, les murs, l'écran plasma, la couverture des livres. Pour cent dollars, je l'aurais léchée, la poussière. Or, au montant convenu, je donne le strict minimum.

J'examine autour de moi. Tout m'a l'air propre. Miettes et minous ont pris le chemin de l'énorme réceptacle de l'aspirateur central dans le placard réservé à cette fin, aux abords de la salle de lavage. Avant de poursuivre, je monte à l'étage pour voir l'avancement général.

Maxim s'affaire à la cuisine avec des gants en caoutchouc. Elle frotte le lavabo à l'aide d'une éponge à récurer jaune et verte.

– As-tu bientôt fini? demande-t-elle, le moral à plat.

– Il me reste une petite pièce de rien.

Elle souffle sur une couette de cheveux rebelle qui lui cache la vue, jette un œil dehors et s'assure que nous sommes loin des oreilles indiscrètes. Gisèle et son mari Gérard sont assis sur des chaises longues tout près de leur piscine creusée et se font cuire au soleil comme deux œufs miroir.

Nous aurions dû leur offrir de nettoyer leur piscine. N'importe quoi pour se rafraîchir. Notre concept est mal pensé.

– Je peux pas croire qu'on fait ça, soupire-t-elle. C'est ridicule ben raide !

– Tout ça pour vingt piastres…

– Arrête, je suis assez découragée !

– Il est où, le tata ?

Question inutile, je l'entends chantonner dans ce que je devine être la salle de bains.

Tristan est penché et récure l'intérieur de la cuvette avec une brosse. Il met pause à sa chanson méconnaissable en m'apercevant. On ne risque pas de l'apercevoir aux auditions de Star Académie de sitôt.

– Hé, tu as déjà fini ton étage ? demande-t-il avec le sourire.

– Je prenais un *break*. Est-ce que je peux savoir ce qui te rend si heureux ? Tu t'es fait voler pis tu laves une bécosse !

Il regarde autour de lui pour absorber ce que je viens de dire.

– Je respecte le plan.

– Le plan, c'était de nettoyer chez mes voisins d'à côté, pas ici.

– On ira après, l'après-midi est jeune. Après tout, on va avoir de l'argent de poche.

Vingt piastres, sans dessein !

– Plus on retarde, plus on risque que ton vélo ait été revendu.

– Alors, vite, dépêche-toi à terminer en bas !

La pulsion de lui brosser les dents avec la brosse à toilette me chatouille les tripes. Je me retiens et referme la porte sans rien ajouter. Il a le don de me pomper, lui. Ce matin, j'aurais dû respecter la consigne de ne pas ouvrir aux étrangers. Il aurait sonné durant quelques minutes, puis aurait battu en retraite. Après tout, je suis censé jouir de mes vacances…

– C'est difficile de nettoyer un frigo, se plaint Maxim lorsque je réapparais.

Des bariolages maculent la surface en inox de l'électro.

– J'ai hâte de sacrer mon camp d'icitte.

– Moi aussi.

Elle a l'air d'une mère avec ses gants à vaisselle. Me prenant pour le mari, je m'approche d'elle pour la serrer dans mes bras. Elle s'aperçoit de ma manœuvre et me pointe les proprios du menton. J'ignore sa mise en garde, me ferme les yeux et ouvre la bouche. Un french aiderait à digérer l'idée qu'il me reste une salle de lavage à faire briller.

– C'est pas poli de faire ça chez les gens, dit-elle en me repoussant.

T'es donc ben coincée!

– Voyons, personne nous regarde.

– Sont juste là, ça me gêne.

Ça te gêne partout.

– Allez, un petit bec.

– Chut, Tristan va nous entendre.

Ouin, pis?

– Plus tard, d'accord ?

Je laisse retomber mes bras et soupire. Ma chaudière de patience s'épuise. À quoi ça sert d'avoir une blonde si on ne peut jamais l'embrasser ? Aussi bien retourner au stade d'amis, c'était moins compliqué.

Si elle savait que nos destins allaient faire chambre à part dès la rentrée scolaire, elle me sauterait dans les bras. Ou casserait. Difficile de prédire sa réaction exacte. Dans le deuxième cas, nous battrions le record de la relation la plus courte.

Sans dire un mot, je redescends avec la ferme intention d'en finir au plus vite avec ce foutu ménage. Mais il n'est pas question que la journée se termine sans qu'on s'embrasse. Ça me rend fou, son affaire ! Qu'est-ce qui ne va pas avec elle ? M'aime-t-elle encore ?

La salle de lavage est divisée en deux. D'un côté, la laveuse, la sécheuse, un comptoir-lavabo et une armoire remplie de boîtes de détergents et de bouteilles de produits toxiques. De l'autre, un frigo jaunâtre, des caisses de boissons gazeuses en canettes, des bacs de rangement et des objets pêle-mêle. Un fourre-tout. Et, si je me fie au ventilateur empoussiéré dépourvu de sa grille protectrice et à la machine à popcorn n'ayant pas fonctionné depuis la sortie du film *La guerre des tuques*, ils y fourrent vraiment tout.

Un local vaste, mais tant d'obstacles s'amoncellent que la surface de plancher à nettoyer diminue de façon considérable. Je ne me mettrai pas non plus à polir chaque traînerie. Décrasser le ventilateur prendrait une demi-heure. S'ils ne le font pas depuis des années, je ne vois pas pourquoi je me donnerais la peine. Notre contrat n'en fait aucune mention. D'ailleurs, nous n'avons rien signé, nous aurions dû nous sauver dès que Gisèle s'est assise le popotin sur sa chaise longue. Notre pratique consistait à préparer notre discours de vente et ça s'était avéré un succès. Pourquoi poursuivre?

Quoique... Tout d'un coup que Ginette décide de s'informer de nos performances? Si elle hésite, on pourra lui balancer: «Regardez de l'autre côté de la rue, voilà des clients cent pour cent satisfaits, faites comme eux et dépêchez-vous avant la fin de notre spécial Canicule!»

Comment Tristan a-t-il pensé si vite à une promotion absurde? Pas une promotion estivale ou du mois de juillet, non, un spécial Canicule! Je ris en silence. Il est tellement twit qu'il en devient attachant.

Mes yeux croisent un objet sur le comptoir.

Oh mon Dieu!

Mon cœur s'emballe au rythme d'une cuve de laveuse qui tournoie sur elle-même. Ma bouche s'ouvre, mais aucun son ne s'en échappe.

Incroyable!

Pas le temps de réfléchir, surtout si Gisèle ou Gérard descendent les escaliers. Je saisis l'objet et le cache dans une poche latérale de mes bermudas cargo. La bosse n'est pas trop considérable, on ne peut pas deviner ce qui s'y trouve.

Sauve-toi!

Alerte générale dans ma caboche. Je ne sais plus quoi faire. Je ne peux pas alerter mes amis et les inciter à fuir avec moi. Nous devons sortir en douce, ne rien laisser transparaître. Avec notre argent. Mince consolation pour autant d'ouvrage.

La panique laisse place à l'excitation. Cette découverte est la clé de la disparition du vélo de Tristan, l'unique indice récolté jusqu'ici. Plus qu'un indice : une preuve !

Je termine la besogne, puis quitte la pièce avec la pièce à conviction. Nous n'aurons pas besoin de soudoyer Ginette. Ma mère et Tristan soupçonnaient les mauvais voisins.

Les voleurs sont dehors, en train d'attraper le cancer de la peau.

Chapitre 9

La revanche de la guêpe meurtrière

– On a fini, madame!

Merde!

Je n'aurai pas le temps de prévenir mes copains de ma découverte. Nous venons de terminer le ménage et je suis en train de ranger mille mètres de tuyau d'aspirateur dans le placard. Tristan a cogné à la porte-patio afin d'attirer l'attention du duo Gigi & Gégé avant que je les rejoigne. Malgré l'écœurement, j'imagine que mes amis sont fiers de ce premier contrat de l'histoire de Top Moppe et qu'ils ont hâte de recevoir leur salaire ultra minimum.

Un sentiment différent m'habite. Colère, frustration, incrédulité, le tout mélangé dans un Magic Bullet. Depuis que je détiens la vérité, mon respect pour ces gens a disparu comme les taches sur le plancher. Nous résidons depuis des années en face de rapaces et nous ignorions qu'il s'agissait d'oiseaux de malheur. J'ai la ferme intention de leur clouer le bec, mais je dois attendre le moment opportun.

Je monte les marches deux par deux et entends le roulis de l'énorme porte. Trop tard. Lorsque la dinde pénètre à l'intérieur, une bouffée d'air suffoquant inonde la cuisine comme si elle sortait d'un four où elle rôtissait depuis des heures. Nous avons eu le privilège de nous éreinter à l'air conditionné, c'est au moins ça.

Elle est vêtue d'un bikini noir. À côté de nous, elle a l'air d'une Haïtienne tellement elle est grillée. De la confiture dans le cou et on la confondrait avec une toast calcinée.

Gérard est toujours étendu sur sa chaise longue. Il n'a pas bougé d'un poil pendant l'heure et demie qu'a duré notre opération. C'est à peine s'il nous a regardés lorsqu'on est arrivés. Si je me fie à ses yeux fermés et au magazine de golf ouvert à l'envers sur sa bedaine qui se gonfle et dégonfle à un rythme lent et régulier, il roupillonne. J'ai hâte d'admirer le rectangle pâle sur son ventre après son exposition au soleil.

Le sourire de la volaille voleuse grandit lorsqu'elle examine sa basse-cour impeccable.

– Wow, vous avez fait du boulot incroyable !

Attends de voir le sous-sol !

Elle cache mal son jeu, je lis l'hypocrisie dans son regard. Les visages à deux faces, c'est comme les avions dans le ciel, je les vois venir de loin. Dans toute cette histoire, c'est nous les dindons de la farce.

Elle marche de pièce en pièce et glougloute des « oh ! » et des « ah ! » en admirant notre travail. J'avoue qu'elle en a eu pour son argent. Nous aurions mérité cent piastres.

«La seule chose que je vous demande, c'est de ne pas aller dans la pièce en bas des escaliers. C'est privé.»

Maintenant, je comprends l'avertissement qu'elle nous avait servi avant que nous nous mettions à l'ouvrage. Une conclusion s'impose: c'est à cet endroit qu'est gardé en otage le vélo hybride de Tristan. Voilà pourquoi elle insistait tant pour nous garder à l'écart. Qu'est-ce qui peut être secret au point de ne pas vouloir que des étrangers en connaissent l'existence? Des photos de famille? Une collection d'autos à coller? Un coffre à bijoux? Non. Un objet volé. Ou plusieurs. Ce qui se cache dans ma poche prouve leur culpabilité et confirme que derrière cette porte défendue s'entassent les fruits de mystérieuses disparitions.

Il n'y a qu'une façon d'en avoir le cœur net. Je dois trouver le moyen de m'introduire dans cette pièce. Mais comment?

– Même la salle de bains est Spic and Span!

Spic and quoi????

Tristan est tout content qu'elle souligne la qualité de son ouvrage. Récurer une toilette en sifflant des airs joyeux mérite une mention honorable.

– Excellent travail! J'imagine que c'est tout aussi impeccable en bas. Pas besoin d'y aller.

Ben non, on se demande pourquoi!

Maxim a retrouvé un sourire sincère. Elle est heureuse que son semi-bénévolat soit apprécié. Si elle savait ce que je sais, elle serait comme moi en train de se demander comment coller ici plus longtemps. Car un problème me préoccupe : si nous levons l'ancre dans deux minutes, jamais nous ne découvrirons l'ampleur du bateau qui nous a été monté. On ne peut pas ressurgir demain et leur proposer de nettoyer les fenêtres de toutes les pièces.

Tout un hasard quand même. De toutes les maisons du quartier, nous sommes tombés sur la bonne. Si on avait choisi celle de gauche, de droite ou n'importe quelle autre sur la rue, Tristan n'aurait plus jamais revu son vélo. Une force invisible, un ange gardien, nous a guidés. Après tout, il y a une forme de justice.

Dommage que je n'aie pas l'âge, ce coup de chance est le signe que je devrais m'acheter un billet de loterie. Grâce à la combinaison gagnante, je serais admis au collège privé de Maxim, pour la simple et bonne raison que je m'en serais porté acquéreur ! Et avec le change, je paierais un voyage dans le Sud de cinquante ans à mes voisins cochons.

Je savais que ma mère et Tristan les avaient condamnés trop tôt. Ginette a autant de classe que Michèle Richard, Marcel articule aussi bien qu'Éric Lapointe et les jumeaux sont agressifs comme le barbu des Denis Drolet, mais ça n'en fait pas pour autant des voleurs. Pas du vélo en tout cas.

Nous retournons à la cuisine. Gisèle s'approche du vaisselier, ouvre un pot en porcelaine, fouille et nous tend un vingt dollars.

– Je vous laisse séparer ça entre vous. J'ai pas de petites coupures. Sinon, il faudrait que je vous paye en vingt-cinq cennes !

Nous la remercions. Avec ma part, je pourrai m'acheter une sloche Crème à barbe chez Couche-Tard. Mince récompense pour quatre-vingt-dix minutes de dur labeur. Mon régal personnel, j'y goûterai quand on leur passera les menottes.

– Est-ce que je peux vous offrir quelque chose à boire avant que vous partiez ?

Avec raison, elle a hâte qu'on décampe. Elle ouvre le frigo tandis que Tristan et Maxim acceptent tour à tour.

– Zut, j'ai juste du jus de canneberges. Pas super populaire auprès des jeunes, ça.

Debout derrière mes amis, je saute sur l'occasion :

– On adore ça, madame. En plus, c'est bon pour les reins.

Elle se relève et sourit, surprise que j'en connaisse autant sur le sujet.

– Exactement ! Tu en sais des choses, toi.

Et j'ai doublé deux années !

Je ne le lui avoue pas, mais le mérite revient à ma mère. Elle me le répète pour motiver le fait qu'une bouteille de Cranberry Cocktail bouffe toute la place dans la porte du frigo.

Imbuvable. Les oreilles me rentrent par en dedans chaque fois que j'y goûte tellement c'est suret. Mais là, j'ai la ferme intention de le siroter, mon M. Net rouge. Je me forcerai. Leçon d'espionnage numéro 426 : la fin justifie les breuvages moyens.

Boire cette boisson-vitale-pour-les-rognons me donnera le temps de penser à un plan rapide. Je dois visiter ce local secret. Si des idées brillantes désirent se pointer cette semaine, aujourd'hui serait apprécié.

– Combien avez-vous de clients ? demande-t-elle en sortant trois verres d'une armoire.

– Huit, que je réponds.

– Onze, dit Tristan en même temps.

Ouch !

La femme émet un rire poli, l'air de dire : « Vous êtes mêlés dans vos menteries ». Maxim lève la main :

– En fait, c'est huit, plus nos trois maisons, donc onze. Mais nos parents, ça compte pas vraiment. Ils nous encourageraient peu importe ce qu'on leur proposerait.

Notre cliente semble gober le tout.

– Ah, l'amour des parents pour leurs enfants n'a pas de limite !

Une idée me vient. Il était temps.

– Est-ce qu'on pourrait boire dehors ?

Tristan me dévisage.

– Non, il fait trop chaud !

Ferme ta gueule !

Il ne peut pas comprendre. Il lui manque trop de morceaux pour assembler le casse-tête. Si nous restons à l'intérieur, jamais je ne pourrai me faufiler au sous-sol. On aura constamment cette kleptomane dans les pattes. Par contre, si nous relaxons dans la cour, je pourrai simuler une envie de pipi. Une fois seul à l'étage, je n'aurai qu'à descendre les escaliers en imitant une souris qui s'aventure tout près d'un chat qui dort.

– Certainement, Pierre-Olivier. Il fait tellement beau.

– Benoit-Olivier, la corrige Maxim.

– Ah oui, désolée.

– C'est pour ça qu'on l'appelle tous Bine, continue ma blonde, c'est court et facile à retenir.

– Moi, j'aimerais bien avoir un surnom cool, déclare Tristan.

Commence par être cool.

– Toi, ma chouette, est-ce que tes amis t'appellent Max?

– À mon ancienne école, oui, mais depuis que je suis déménagée, non. C'est bizarre.

Je réalise que je ne l'ai jamais surnommée ainsi. À aucun moment, ça ne m'a traversé l'esprit. Son prénom au long lui va mieux. Si je prétendais sortir avec Max, les gens s'imagineraient que je suis amoureux d'un gars ou d'un berger allemand.

Il est clair que Gisèle la criminelle ne soupçonne rien. Sinon, elle se serait débarrassée de nous bien avant. Elle ne nous aurait même pas engagés en premier lieu. La pièce à conviction trouvée était un oubli de sa part. Un faux pas qui nous donne maintenant l'avantage.

Appelle la police!

Non, pas tout de suite.

Pendant qu'elle est absorbée par la tâche de nous verser des verres à quantité égale, je tape du doigt trois coups sur l'épaule de Tristan. Il se retourne et j'écarquille les yeux en relevant les sourcils, sorte de message universel voulant dire «ATTENTION» ou «MÉFIE-TOI».

– Mais pourquoi tu me fais des gros yeux?

La dame freine son geste et me fixe. Je simule un rire.

– Hein! Hein! Hein! Je te fais pas des gros yeux, je bâillais.

Je me passe le revers de la main sur le front.

– Fiou, je suis crevé!

Au troisième et dernier verre, la cruche termine le pot de jus.

– Il va falloir que je l'ajoute sur ma liste d'épicerie, dit-elle en arrêtant son regard sur un bloc-notes, à ma droite sur le comptoir.

Je m'empare du crayon à mine placé à côté.

– Je vais vous l'écrire, madame.

– Ah, c'est aimable, Carl-Olivier.

Personne ne prend la peine de rectifier l'erreur de prénom. Cause désespérée.

J'inscris «Jus de canneberges» à la quatrième ligne, sous «lait condensé», «cassonade» et «pruneaux». Je me fais ultra serviable. On élargit ainsi la possibilité que son hospitalité redouble. Qui sait, peut-être va-t-elle nous inviter à un party hawaïen?

Nous attrapons chacun notre verre et la suivons. Le homard se redresse lorsque son épouse le tire de ses rêves. Quelques chaises s'agglutinent tout autour de la piscine équipée d'un plongeon, détail que je n'avais pas remarqué de l'intérieur.

Chanceux!

Non seulement possèdent-ils une piscine creusée, mais en plus, un tremplin leur permet de faire des bombes et d'arroser la visite.

Oh!

La voilà l'idée géniale que j'attendais. Une baignade. En guise de pourboire. Ce serait la moindre des choses. Surtout qu'on s'est fait avoir, solide. Se changer, se sécher, les occasions pour rentrer et aller fouiller dans cette pièce interdite se multiplieront. Je devrai user de subtilité, je ne peux quand même pas nous inviter.

Est-ce qu'on pourrait se baigner, la vieille?

Problème crucial: mes amis ignorent mes intentions. Si au moins Maxim était sur la même longueur d'onde que moi. Tristan, lui, moins il en sait, mieux c'est.

– Gérard, on a de la compagnie. Je te présente Tristan, Maxim et Marc-Oli… Bine!

Le monsieur, que nous dérangeons clairement, nous envoie un timide bonjour. Il avait l'air bête de loin et c'est encore pire de près.

Nous nous assoyons. Je prends place à côté de Maxim. Je surveille les deux voleurs, mais nous demeurons dans leur champ de vision. J'attends que les regards soient détournés pour avertir ma blonde. Gros yeux, tape, mot à l'oreille, peu importe, elle va piger. Elle me connaît.

– Hmm... En quelle année êtes-vous? demande le mari qui se sent obligé de jaser un brin, un énorme merci au coup de coude que vient de lui donner son épouse.

– En sixième année, répond Tristan.

– On rentre tous en secondaire un en septembre, rectifie Maxim.

– OK, se contente de balbutier le bavard.

Gisèle s'assoit et bondit aussitôt:

– Oups, je te néglige! Veux-tu quelque chose à boire?

– Un Pepsi diète. Y'en reste-tu?

Des caisses.

– On est allés chez Costco la semaine passée.

– C'est vrai, j'avais oublié, réalise-t-il.

La dame se tient devant lui. Nous n'existons plus. C'est le moment.

Je bouge les doigts afin d'attirer l'attention de Maxim, mais elle se passionne pour la conversation de Pepsi.

Youhou, la Terre appelle Max!

– Psst !

Elle ne réagit pas. Si je répète plus fort, j'éveillerai leur méfiance.

– Si jamais il y en a plus en haut, je pense qu'il y en a quelques canettes dans le frigidaire en bas.

Je pince Maxim dans le gras de bras, au niveau des triceps.

– AÏE ! hurle-t-elle.

Pas si fort !

Les trois autres se tournent vers nous. Je deviens tout rouge. Je ressens mes battements cardiaques jusqu'à la pointe de mes cheveux. Moi qui désirais me montrer discret, un généreux zéro sur dix. Maxim s'apprête à me tuer.

C'était juste une pincette.

– Elle s'est fait piquer par une guêpe, dis-je au groupe pour me sortir du cul-de-sac.

– C'est toi qui m'as pincé !

Habituellement, ma blonde est plus vite sur ses patins. A-t-elle changé son nom pour Max Biancardini ?

– Je t'ai donné une tape, je voulais que la guêpe s'en aille.

Je me lève et la tire par le bras.

– Viens, on va aller mettre de l'eau froide dans la salle de bains.

Elle résiste.

– Je vais y aller toute seule.

C'est alors que je leur tourne le dos et lui fais un clin d'œil.

Chapitre 10

Tintin au pays des semi-nudistes

– Je t'ai dit que je voulais pas frencher ici, proteste Maxim en essayant de me repousser.

Je résiste. Nous sommes à la salle de bains et je me suis collé contre elle pour lui parler tout bas.

– Arrête de capoter pis écoute-moi. Je veux pas t'embrasser.

Elle se détend.

– C'est eux autres qui ont volé le vélo de Tristan. J'ai tr...

– QUOI???? laisse-t-elle échapper.

– Chut! Parle pas si fort!

La porte-patio s'ouvre.

Calvince!

Des pas.

– Est-ce que tout va bien? demande Gisèle dans l'embrasure de la porte.

– Je vois pas de dard, la guêpe a probablement pas eu le temps de la piquer.

– Une chance que tu l'as chassée, Boum.

– Bine.

– Me semblait aussi que ça commençait par un «B». Moi pis les noms!

Toi pis les vols!

– Ça va mieux maintenant, affirme Maxim.

Pour prouver son point, elle frotte son bras comme pour expulser les dernières particules de douleur.

– Tant mieux, ma chouette ! Allez, on retourne dehors.

Non merci.

De moins en moins subtile, la matante. Je sens son empressement et sa motivation première : nous éloigner du butin.

Maxim feint un nez bouché, puis tire un mouchoir. La dame demeure dans le cadre de porte. Elle n'a aucune intention de nous laisser comploter maintenant qu'elle sait que la guêpe était une invention de ma part.

Son attitude a changé.

Elle sait.

C'est la première fois que je rencontre une femme dont le loisir est de voler. Une vieille, c'est encore plus exceptionnel. Il me semble qu'il s'agit d'un passe-temps de gars. Dans les films, ce sont des mâles virils qui volent des voitures, braquent des banques, s'introduisent masqués dans les domiciles. Une fille, c'est censé être gentil. Pas elle, apparemment. À moins que son mari se tape le sale boulot et qu'elle ne soit que la complice. Ou la tête pensante ?

Nous abandonnons la salle de bains et, du même coup, le secret à moitié révélé.

Mais j'y pense. L'homme à qui elle a parlé au téléphone est allongé au soleil. Va-t-elle le reconnaître maintenant qu'elle portera une attention particulière ?

Il faut dire qu'il a à peine prononcé huit mots depuis notre arrivée, dont Pepsi et OK. Pas le plus placoteux du quartier. Est-ce sa stratégie de rester discret ? A-t-il flairé le pot aux roses quand il nous a vu la binette à sa porte, quelques heures après un appel étrange ? A-t-il identifié la voix de Maxim et fait le lien ?

Même s'il lui manque les explications et LA preuve, Maxim a eu le temps d'enregistrer mon alerte. Je la sens nerveuse comme un automobiliste en panne au bord d'une autoroute. Elle marche comme si on lui avait enfoncé un poteau de clôture le long de la colonne vertébrale.

Une agitation justifiée. Ce couple ne s'est pas déguisé en voleurs pour nous jouer un tour comme au camp des Aventuriers Extrêmes. La situation n'a rien d'une mise en scène. En fait, non, tout est une mise en scène pour donner l'illusion de voisins sympathiques et aimables. Personne n'aurait soupçonné Mère Teresa et chose, l'Indien chauve Gandalf, d'un quelconque crime, pas même de l'assassinat d'une fourmi.

– Il fait vraiment chaud, dis-je en remettant le pied dans la fournaise extérieure. C'est un temps idéal pour passer la journée dans la piscine !

Adieu la subtilité, je dois agir. Pour mieux suer et me débarrasser de ma chaleur interne, il faudrait que je me perfore des pores supplémentaires. Avec une aiguille ou un poinçon.

– Avez-vous une piscine chez vous? nous demande Gisèle, souriante.

– Non, notre cour est plus petite que la vôtre.

C'est plutôt que ma mère est cassée, mais ça ne me tente pas d'entrer dans des conversations d'adultes.

Tristan répond à son tour par la négative.

– Nous, oui, dit Maxim, mais je demeure à dix minutes d'ici en auto.

Je me trouve chanceux qu'elle ait fréquenté mon école cette année. Si ses parents avaient déménagé un coin de rue plus au nord, elle aurait été sur le territoire d'une autre manufacture d'apprentis-adultes-plates. Jamais je ne l'aurais connue, je n'aurais pas de blonde et je ne serais pas en train d'imiter Tintin en enquêtant sur des vols mystérieux.

Gisèle demeure pensive. Tout d'un coup, ses yeux s'écarquillent.

– Voulez-vous vous baigner ici?

Ouf, pas déjà?

Je croyais qu'elle n'allait jamais allumer.

– Ah oui, chouette! s'exclame la seule personne au monde qui emploie la cousine du hibou pour exprimer sa joie.

– Ce serait super, madame, mentionne Maxim, mais j'ai pas mon costume de bain.

– C'est pas grave, on va se baigner en boxers! dis-je sans réfléchir.

– Allô... je suis une fille!

– J'ai pas de caleçons, moi, ajoute Tristan.

Quoi?

Même le mort-vivant sur sa chaise sursaute.

– Tu es à poil en dessous de tes shorts? que je lui demande, dégoûté, en espérant qu'il ne me réponde pas par l'affirmative.

– Mais euh... oui. Quand il fait chaud, mon père fait toujours ça.

Nos hôtes retiennent un fou rire. Bonne nouvelle, Gérard est capable d'humour.

J'imagine Laurent, nu, enfiler des bermudas et venir à l'école s'occuper de la bibliothèque. Je chasse ces pensées horrifiantes. Dire que je lui ai serré la main à la fin de l'année.

Apprendre du même coup que Tristan se ventile le paquet en pédalant, je n'ai plus le goût de retrouver son vélo.

– Pas de problème, les amis. On en a plusieurs au cas que nos petits-enfants aient oublié le leur. Ça devrait vous faire.

Nous la remercions.

– Ça me soulage, j'avais pas envie que tu te baignes tout nu dans ma piscine.

L'homme assis rit de sa blague. Nous sommes tous crampés. Si j'ignorais qu'il s'agit d'un brigand, je rirais de bon cœur. Un tueur en série raconterait le meilleur gag du monde, aucune des ses futures victimes ne se taperait sur la cuisse. Même chose dans mon cas.

La dame nous quitte et revient quelques minutes plus tard avec une pile de vêtements et de serviettes.

– Celui-là va te faire, dit-elle en m'en tendant un noir avec des lignes rouges. Xavier a seize ans, mais il est pas ben ben plus grand que toi.

Elle lance le second à Tristan.

– Il va peut-être être un peu large, mais c'est mon plus petit.

– Au pire, si c'est trop grand, tu mettras un bikini.

Cette fois, l'homme assis rit de MA blague.

– Pis toi, ma belle, tu es de la même grandeur que ma Laurence. Elle a douze ans. Toi ?

– Moi aussi dans une semaine.

Oublie pas son cadeau !

– Bonne fête en avance, lui souhaite Gisèle en lui tendant le une-pièce vert orné de fleurs jaunes.

Maxim saisit ce qui s'apparente au maillot officiel des Packers de Green Bay.

Tristan et moi aurions pu aller chercher le nôtre. Reste que la troisième actionnaire de Top Moppe aurait séché. Jamais je n'aurais pu lui prêter celui de ma mère, elle aurait flotté dedans et ressemblé à une mémé. On croirait que les designers de vêtements pour femmes ne se forcent que pour les clientes de trente-neuf ans et moins. Puis, pour celles de quarante en montant, ils engagent des chimpanzés daltoniens.

S'il avait fallu que Jojo revienne de travailler, aperçoive un tiroir de sa commode mal fermé et constate que son costume de bain avait disparu, elle aurait prévenu l'armée canadienne.

Bye bye la Palestine, on s'en va chez Bine!

– Venez vous changer, nous invite Gisèle en se dirigeant vers l'entrée arrière.

Nous la suivons. À l'intérieur, elle indique à Maxim d'utiliser la salle de bains et à Tristan et à moi, la chambre principale.

Elle souhaite qu'on se déshabille en duo ou quoi? Je n'ai pas envie de lui voir le moineau à l'air, j'ai assez de l'imaginer à travers ses bermudas. Si on doit former des équipes de deux, je propose de rejoindre ma blonde.

– Et moi, je vais où? s'inquiète Tristan, peu enclin à me faire un striptease.

– Vous vous êtes jamais changés ensemble dans un vestiaire? demande-t-elle, surprise.

– Je vais toujours dans une cabine, répond-il.

La gentlewoman-cambrioleuse met une main sur son épaule.

– Va en bas des escaliers, tu vas être tranquille.

Non, moi!

Ma chance.

– Mais n'entre pas dans la pièce à gauche, s'il vous plaît. Va juste dans la salle familiale, personne va te regarder.

Tu vas juste être filmé par des caméras dissimulées.

Trentième mention de cette damnée pièce. Il faut une mégadose de témérité pour envoyer sa victime si près de son bien. Aime-t-elle jouer avec le feu? Ça l'excite? Est-ce que ça lui donne une bouffée d'adrénaline comme les plongeurs téméraires qui s'amusent à nager au milieu d'un banc de requins blancs ou les écervelés qui gravissent des rochers sans se harnacher?

– Reste ici, Tristan, je vais y aller, moi.

– Ça va, dit-il en franchissant la première marche.

Dommage que je ne puisse pas l'empoigner et le tirer de là. Je viens de rater une occasion en or qui ne se représentera pas.

Le costume me va en longueur. Au niveau de la taille, il me manque quelques centaines de sacs de croustilles au compteur. Je tire la corde au maximum.

Tes bermudas!

Qu'est-ce que je fais? Ça m'embête de les laisser sur le couvre-lit, comme un vulgaire plat d'egg rolls au restaurant chinois. Gisèle va pouvoir se servir à n'importe quel moment. Le pressentiment qu'elle a repéré l'objet dans mes poches grandit.

Tu paranoïes!

Était-ce sa stratégie de nous inviter à nous baigner pour reprendre en catimini ce que je lui ai piqué? Mon plan a-t-il ouvert la porte au piège qu'elle désirait nous tendre? Je ne sais pas si c'est la chaleur, mais mes questionnements m'épuisent. Merde, je suis le plus nul des détectives.

Tu capotes, elle a rien vu. Impossible.

Mais tout d'un coup?

Je dépose mon t-shirt sur mes bermudas et étudie chacun des plis, leur disposition. Je m'en grave une image mentale dans ce disque dur qu'est ma tête dure. Après ma saucette, je pourrai détecter si quelqu'un s'est rendu au buffet.

J'examine mes boxers. Ça me gênerait qu'une trace de *break* les garnisse lorsque la femme viendra fouiller. J'ai ma fierté moi aussi. Heureusement, tout baigne à ce niveau, à l'exception d'une ligne de sueur imprimée dans le tissu.

À moins de dissimuler l'objet? Sans me poser de plus amples questions, je le retire de ma poche et l'insère entre le matelas et le sommier. En revenant m'habiller, je n'aurai qu'à le récupérer. Il faudrait un observateur hors pair pour remarquer la bosse. J'en vois une parce que je sais qu'il se trouve quelque chose à cet endroit. J'étudie les nouveaux plis sur mon t-shirt plié et sors dans le couloir.

Personne.

La dame est-elle dehors? Je n'ai cependant pas entendu le roulis de la porte.

Elle se cache et t'espionne.

La porte des toilettes est toujours refermée. Plus long pour une fille de se changer. Pourtant, enfiler des shorts ou un une-pièce, c'est du pareil au même.

J'examine tout autour de moi, même au plafond, à la recherche de caméras de surveillance. Un détecteur de fumée dort la tête à l'envers telle une chauve-souris. Une lumière verte clignotante indique que la pile a de l'avenir devant elle.

Je murmure du haut des marches.

– Tristan, es-tu là ?

– Si. Pourquoi tu parles si bas ?

– Viens ici.

– Attends, je plie mes vêtements.

Dès qu'il se montre le museau au pied des escaliers, je lui pointe la porte interdite.

– Quoi ? demande-t-il tout confus.

Je mime quelqu'un qui tire une poignée et entre dans un local.

– Mais qu'est-ce que tu fais, bordel ?

Arrête de hurler comme un perdu !

Je lui fais signe de fermer sa gueule et d'ouvrir la porte.

– Qu'est-ce qu'elle a, la porte ?

– Ouvre-la.

– Quoi ? Je comprends rien.

– Est-ce que tout va bien ?

Je sursaute.

– AAAAAAAAAHHHHHHHH !!!!!!

Le cri est sorti de ma bouche sans avertissement.

Gisèle se tient à ma gauche. Je ne l'ai pas vue approcher. Elle est apparue dans mon champ de vision comme les psychopathes dans les films d'horreur.

Normal, elle se cachait !

– Excuse-moi, je ne voulais pas te faire peur.

Mon cœur bat vite, il ne s'attendait pas à un changement si abrupt. Gisèle prononce des syllabes, mais je n'entends que le solo de batterie derrière le rideau de ma cage thoracique.

Maxim émerge, magnifique comme jamais. On jurerait que ce maillot a été conçu sur mesure pour elle. Sa présence me calme. À deux, on peut vaincre cette folle.

– Vos costumes sont parfaits. Ça va faire la job, comme on dit ! s'exclame Gisèle.

D'un sourire exagéré, elle nous montre la blancheur de ses dents.

Elle ouvre la porte-patio pour la centième fois cet après-midi, laisse sortir Tristan, suivi de Maxim. Dernier de la file, je mets à mon tour un pied à l'extérieur. Une main sur mon épaule me retient. Elle attend que mes copains aient effectué quelques pas, puis me murmure à l'oreille :

– Pourquoi est-ce que tu voulais que ton ami ouvre la porte dans le sous-sol ?

Chapitre 11

Zizi en folie

Une décharge d'adrénaline éclate et mon cœur se met à marteau-piquer.

Je fige.

Cette main ferme ne quitte pas mon épaule. La reine des neiges m'a touché pour me coincer dans un bloc de glace.

Lâche-moi, vieille folle!

Fidèles à leur habitude, mes rotules jouent des castagnettes. Ma vessie menace de flancher. Je vais pisser dans mes culottes, ou plutôt dans ce costume de bain emprunté. Mes genoux sont reliés à ma vessie, un ne va pas sans l'autre.

Retiens-toi!

Sentant un déluge se préparer, je prends une profonde respiration. Mon raz-de-marée se calme.

«Pourquoi est-ce que tu voulais que ton ami ouvre la porte?»

Je bénéficie d'une fraction de seconde pour répondre à son accusation déguisée en question. Je ne peux pas continuer à la fixer comme une mule.

Grouille, réfléchis.

Les mots ne viennent pas. Plus j'ordonne à mon rebelle de cerveau de se concentrer, moins il obéit.

– Je... Euh... Je v-v-v-voulais lui j-j-j-ouer un t-t-t-our.

Pourrais-tu plus trembler de la voix?

Elle fronce les sourcils.

– Un tour?

– Tristan a peur des chiens.

– Et?

Toujours cette emprise sur ma clavicule.

– Je pensais que vous cachiez votre chien dans cette pièce-là.

– Un chien? Mais on n'en a jamais eu!

– Vous avez pas un labrador? J'étais sûr...

Je la sens retenir sa colère. Si elle était un personnage de *Mortal Kombat*, elle m'arracherait la colonne vertébrale.

Elle inspire.

– C'est mon atelier de peinture, c'est rempli de tableaux fragiles. J'aime pas qu'on y aille. C'est tout.

Bien essayé.

– Ah d'accord. Je m'excuse.

Elle sourit par politesse.

– C'est pas grave.

Ouf!

Elle relâche enfin son étreinte. Je secoue l'épaule.

J'ai réagi rapidement, je savais que mes excuses fonctionneraient. Peu importe sa culpabilité, demander pardon permet de se sortir de sacrés pétrins.

La fois où j'avais fracassé une fenêtre de l'école avec une balle de baseball, je m'étais excusé. La fois où j'avais botté dans la stratosphère le ballon d'un jeune de première année qui interrompait notre partie de soccer aux dix secondes, je m'étais excusé. Les nombreuses fois où j'avais obtenu en deçà de trente pour cent dans un examen de mathématiques, je m'étais excusé. La fois où j'avais déchiqueté le recueil de dictées de madame Béliveau, je ne m'étais pas excusé. Et j'en retire beaucoup de fierté.

Intéresse-toi à ce qu'elle fait.

Déniaise.

– Connaissez-vous le peintre Molière?

– Monet, tu veux dire?

T'es pire que Tristan avec son hockey!

– Euh... Oui, Monet, je me suis trompé.

Sans dessein.

Avoir voulu moins l'impressionner, je n'aurais pas réussi. Inutile de chercher son prénom, des plans pour le baptiser Bill Monet.

– Monet? Mmm... Malheureusement, je le connais pas personnellement, il est mort il y a longtemps!

Elle se met à rire. Cette blague atteint un record de platitude. Ça doit être ça, le sens de l'humour des gens de soixante ans. Comme la peau, il ramollit avec les décennies.

Je m'esclaffe.

– Ha! Ha! Ha! Elle est bonne!

Pas pantoute!

Ce désir de l'amadouer persiste.

– Allez, va t'amuser.

J'accours jusqu'à mes amis. Mes rotules arrêtent de trembler, mon envie d'uriner disparaît aussitôt.

Tristan grimpe sur le tremplin dont la surface bleu délavé se compare à du papier sablé. Il m'envoie la main, excité comme un garçon qui descend de l'autobus scolaire et salue sa maman au loin. Son maillot est si ample que des poches d'air donnent l'impression qu'un sac de patates y est camouflé.

– Qu'est-ce que tu faisais, Bine?

– Je parlais dans ton dos.

Il sort la langue, grimace, mais n'insiste pas, trop concentré sur le saut qu'il ratera dans quelques instants.

Maxim patauge dans la partie moins profonde de la piscine et, à défaut de porter une casquette, me consulte, une main contre le front pour bloquer un maximum de rayons de soleil qui l'aveuglent.

Notre conversation dans les toilettes a été interrompue. Ça la démange de ne pas savoir la suite, de ne pas connaître quelle preuve je détiens. En temps normal, je prends plaisir à étirer le suspense. Là, je hurlerais la réponse, je la peindrais sur une toile. Cinq secondes supplémentaires, c'est tout ce que je demande pour terminer de vider mon sac.

Ses pupilles m'interrogent, mais je ne peux rien laisser transparaître, les deux vautours m'en empêchent. Mimer des yeux se révèle un tantinet complexe. Communiquer sous l'eau, impossible: les voyelles se noient dans la mare de consonnes.

– Admirez mon plongeon ! s'écrie la poche de patates.

Il décolle, sprinte sur une courte distance, met tout son poids, le tremplin courbe l'échine, Tristan Despatie se propulse, puis la planche flexible reprend sa position initiale.

– Yahou !

Notre athlète roux s'envole, tourne vers l'avant, initie sa descente, son corps continue sa rotation, dépasse l'axe vertical, revient à l'horizontale, le dos vers le bas.

KLAAAAAK !

Le contact avec l'eau a l'effet d'une déflagration. Un *flat* inversé qui mériterait sa place dans les vidéos de FAIL qui pullulent sur Internet.

Pouhahahaha !

Je m'attends à voir l'eau chlorée rougir d'une seconde à l'autre. Un choc si violent ne peut qu'entraîner de fâcheuses conséquences. Sans oublier que Tristan saigne à rien.

Alertée par le vacarme du saut périlleux, Gisèle s'approche des lieux de l'accident tragique, elle qui venait de se rasseoir le popotin pour lire une revue à potins. Les jambes fléchies, elle se prépare à plonger en cas d'urgence.

Une fois, j'étais tombé du haut d'un tremplin de trois mètres directement sur le ventre. J'avais eu l'impression de fendre du sternum au nombril. J'avais immédiatement mis mes mains sur ma bedaine pour empêcher mes intestins de s'enfuir de leur cavité.

Tristan se débat au fond de l'eau. Des bulles font glouglou à la surface. Il émerge en panique.

– AÏÏÏÏÏÏEEEEEEEEEEEEE!!!!!!!!!!!!!!!!!!

– Es-tu correct, mon grand? s'inquiète Gisèle.

Tristan se démène comme un chien saucisse ayant chuté dans un aquarium rempli de piranhas.

– Je me suis cassé le dos. JE SUIS PARALYSÉ, JE SENS PLUS MES ORTEILS!!!!

Maxim le rejoint.

– Calme-toi, je suis là.

Escorté par la plus ravissante sauveteuse de la région, le polytraumatisé se rend jusqu'au bord de la piscine et s'appuie sur la paroi.

– Beau plongeon, que je complimente.

– C'est la première fois que j'en rate un, bave-t-il en s'extirpant de son océan de douleur.

– Me semble.

– Si!

– Si quoi?

– Ah, la ferme!

– Qu'est-ce qu'elle a, la ferme?

Il serre les dents et me montre son poing.

Vas-y, frappe-moi.

J'essaie de le provoquer. Une bagarre pourrait déstabiliser nos hôtes, faire tomber leurs gardes.

Au lieu de me sauter à la gorge, il présente son dos à Cruella. Peau rouge, à vif, sur une étendue équivalente à un ballon de football.

– Tu t'es pas manqué, mon cher. Fini les plongeons, OK?

– TROP TARD!

Les trois se tournent vers moi. Pas question qu'on s'en aille. Je connais notre blessé, il va vouloir aller voir sa maman pour qu'elle lui mette du Polysporin à la grandeur du dos.

Juché sur le tremplin, j'inspire et m'élance à mon tour. Je vais démontrer à la foule comment s'y prend un professionnel. Maxim détient le meilleur billet pour admirer mes prouesses.

Noie-toi pour qu'elle te fasse le bouche-à-bouche.

J'expire en me propulsant, mes pieds décollent, je m'élève dans les airs telle une montgolfière et je crie comme un perdu.

– BOUYAH!!!!!!!

J'appuie le menton contre la poitrine, allonge les bras, me rentre le péteux par en dedans, déplie les jambes.

Plouch!

Je ne suis pas en position pour analyser mes exploits, mais on m'attribuerait d'excellents scores, surtout du côté de la juge ukrainienne qui a le béguin pour moi. Selon le son de l'impact, j'ai causé un minimum d'éclaboussures. J'espère que Maxim me regardait, les filles adorent se laisser impressionner.

Je souffle mon surplus d'oxygène en remontant à la surface. Les applaudissements ne vont pas tarder.

«Ha! Ha! Ha! Ha! Ha! Ha! Ha! Ha! Ha! Ha! Ha! Ha! Ha! Ha!»

Des rires à profusion.

«Ha! Ha! Ha! Ha! Ha! Ha! Ha! Ha! Ha! Ha! Ha! Ha! Ha! Ha!»

T'as raté ton plongeon, pourri!

Je ne pige pas, j'ai mal nulle part, mes mouvements étaient hyper fluides. Je n'ai pas l'impression de m'être planté. Au contraire. J'ai clenché la compétition. Une reprise au ralenti me donnerait raison. Ils ne connaissent rien au sport olympique…

– Superbe plongeon, rigole Tristan, mais t'aurais pas oublié quelque chose par hasard?

Je me tourne vers Maxim. Des rires gênés.

Et la dame qui n'ose pas me regarder, la main sur la bouche pour cacher son étonnement.

Une masse sombre flottant à ma gauche attire mon attention.

Puis je comprends pourquoi mon spectacle est si hilarant.

Chapitre 12

Une tasse de gêne et un litre de honte

Nager nu devant un couple de voleurs sexagénaires, mon chien de poche et ma blonde. Un cauchemar éveillé. Je me mettrais un sac en papier brun sur la tête. Je cesserais d'exister. Plus humiliant serait d'être en direct à la télé à l'émission *Bizoune Académie.*

Reste cool.

Je peux pas être cool, je suis à poil.

Les rires s'étouffent. Les spectateurs ont noté que la teinte de mon visage se compare à celle d'un pied coincé dans un piège à ours. Mes quelques litres de sang circulent au niveau de mes joues. Mes autres veines sont gorgées de honte.

Je me dissimule l'escargot entre les cuisses, les garde collées et nage des bras vers ma bouée de sauvetage que représente ce maillot de bain trop large. Il m'a laissé tomber à un bien mauvais moment. Je venais d'exécuter un plongeon parfait que personne n'a pu apprécier.

Tournez-vous au moins!

Ils sont là à m'observer comme des paléontologues devant un fossile de dinosaure.

Vous avez jamais vu ça, une quéquette?

Dégradant, offensant, blessant. Je n'ose pas ouvrir la bouche, je crains de pleurer. Ma gorge m'étrangle.

Fais pas la moumoune.

Aucun endroit pour me cacher s'offre à moi. Pour brailler sous l'eau, il me faudrait le souffle d'un cachalot. Et le bassin déborderait.

Je me place dos à eux et enfile le maillot.

Fais semblant de rien.

– Inquiète-toi pas, Marc-Olivier, on n'a rien vu, ricane la femme.

C'est quoi son problème à elle?

Elle veut se venger.

Qu'elle se trompe de prénom délibérément, ça peut passer. Mais se moquer de ma Cheetos, non!

Ça fait partie de son cirque ou bien c'est dans sa personnalité d'être méprisante de la sorte?

Envoie-la promener.

– C'EST BENOIT-OLIVIER, MON NOM, VIEILLE CONNE!

Les oiseaux arrêtent de cuicuiter, le quartier, de vivre.

Les visages de Tristan et de Maxim blêmissent.

Celui de Gisèle rougit, mauvit, violetit.

Silence.

Même le soleil retient son souffle.

Ben bon pour elle!

Je me sens comme un renard atteint de la rage, à l'exception que j'ai manqué de ruse. Je réalise le poids de mes paroles. Pas tout à fait ce que je voulais dire.

On s'en fout, c'est une menteuse.

La gueule entrouverte, sous le choc, la reine des neiges s'est autoglacée.

– TOÉ, TU T'EN VAS D'ICITTE!

Le mari, sorti de son hibernation, se tient debout avec ses bas blancs dans ses sandales et aboie.

– SORS DE L'EAU TOUT DE SUITE! C'EST PAS VRAI QUE TU VAS PARLER À MA FEMME DE MÊME!

Crie-leur que ce sont des voleurs.

Confronte-les.

La salive m'a déserté, laissant derrière elle une bouche aride. Me défendre reviendrait à siffler avec un paquet de biscuits soda écrasés dans le palais.

Gérard a le regard meurtrier d'un taureau agacé par un matador. Et vu ma rougeur, il va m'encorner si je ne disparais pas de son arène.

– Je pense que vous devriez tous partir, conclut sa complice, déçue et insultée.

J'obéis et me tire de la piscine en silence. Je marche les fesses serrées au point où elles émietteraient un biscuit Ritz. Mes deux amis me suivent sans prononcer une syllabe. J'entre, les laisse passer et referme la porte. Ils s'enveloppent dans leur serviette pour ne pas répandre de l'eau sur les planchers. Merde, j'ai oublié la mienne sur une chaise. Pas question que j'y retourne, Gérard va me broyer la tête dans le filtreur.

Le vélo !

Si un signal devait retentir, il se déclencherait maintenant. Nous devons passer aux actes. Je traîne mes alliés dans le corridor, là où personne ne peut nous épier. Espérons que nos hôtes continueront d'être insultés à distance.

– T'es cinglé ou quoi ? s'exclame Tristan. Tu as fait de la peine à la madame.

Je les saisis tous deux par l'épaule et les approche de moi, comme lors d'un caucus d'équipe.

– Écoute-moi pis pose pas de question. C'est eux qui ont piqué ton bicycle.

– Qui ça ?

– Je t'ai demandé de pas poser de question ! Le bonhomme et sa femme.

– Tu délires ou quoi ?

– T'es certain ? demande Maxim, pas fichue de me croire sur parole.

– Juré craché sur la tête de ma grand-mère. Ils le gardent dans le sous-sol, dans la fameuse pièce que la folle voulait pas qu'on lave.

– Voyons, je sais que tu veux m'aider, mais c'est imposs…

– J'ai une preuve !

– Pourquoi tu nous l'as pas dit avant ? rouspète Tristan, avant de se ronger les ongles. On est dans le pétrin !

J'implore ma blonde de se changer en cinquième vitesse et d'aller tenir compagnie aux voleurs dehors pour s'excuser de ma part.

– Explique-leur que tu te sens mal, invente n'importe quoi.

– Mais si c'est eux, ça veut dire qu'ils sont dangereux, proteste-t-elle.

– Hyper dangereux, l'appuie Tristan. On se sauve d'ici.

– Je demeure en face, ils peuvent quand même pas nous séquestrer. De toute façon, aussitôt qu'on trouve le vélo, on appelle la police. On est trois, ils sont deux.

Pas trois: deux et demi.

– C'est pour ça que tu as fait semblant de te fâcher tout à l'heure? demande Tristan.

Tellement pas.

– Je suis bon comédien, hein?

– Moi qui pensais que c'étaient tes nouveaux voisins. J'arrive pas y croire. T'es sûr?

– Cent pour cent certain.

Je donne le signal, un «go» discret. Maxim s'enferme dans le vestiaire improvisé. Tristan et moi dévalons les escaliers deux à deux. Il choisit bien le moment pour ne pas se péter la gueule.

Je dégoutte partout.

Tant pis, ils ramasseront.

Nous étudions la porte. Une force inexplicable nous hypnotise et nous empêche de l'ouvrir.

– Vas-y, m'ordonne Tristan au bout d'un moment.

– C'est TON bicycle.

Il inspire.

Sa main tremble.

– Je sais pas. Tout d'un coup que tu te trompes?

– Je me trompe jamais. Pis même si je me trompais, il y a sûrement pas des cadavres.

Maxim apparaît tout habillée en haut des marches.

– Et puis?

– On n'a pas encore ouvert.

– Qu'est-ce que vous attendez?

On a peur.

– Que tu fasses diversion.

– J'y ai réfléchi en me changeant. Quand le monsieur a crié tantôt, je pense que j'ai reconnu sa voix.

Deuxième preuve.

Sans rien ajouter, elle disparaît de notre vue.

– Les salopards! Je peux pas croire qu'ils ont osé venir chez moi pour voler mon vélo. Je les déteste.

Il met la main sur la poignée.

– Prêt?

J'incline la tête et il s'exécute.

– Bordel, c'est verrouillé!

Il recule d'un pas en grommelant.

– C'est des criminels.

Sans réfléchir, Tristan donne un coup de pied de toutes ses forces sur la porte.

– AAAAÏÏÏÏÏÏEEEEE!!! Mon gros orteil!

– Tais-toi, bozo ! T'es nu-pied, qu'est-ce que tu t'imaginais ? Que t'allais la défoncer ?

Je remarque au centre du verrou un orifice pour y glisser une clé. Une vraie de vraie barrure impossible à déjouer avec un cintre, comme c'est le cas pour la majorité des salles de bains.

– As-tu déjà vu ça, toi, une pièce de maison qui se barre avec une clé ?

– Non, admet-il, assis par terre, le gros orteil entre ses paumes, les yeux pleins d'eau.

J'ai beau forcer, le mécanisme résiste.

Tire la chevillette, la bobinette cherra.

Elle refuse de cherrasser...

– Il nous faudrait une hache, lâche-t-il.

– En as-tu une dans ton sac à dos ?

– Non.

– Donc propose pas des affaires niaiseuses.

– Mais c'est pas niaiseux.

– On pourrait poser une bombe aussi.

– Mais non, on ruinerait mon vélo !

– Laisse tomber, on peut pas l'ouvrir, la maudite porte. Faut trouver une autre façon.

– Comme quoi ?

– En dix ans de remue-méninges, on n'a pas réussi à nommer notre compagnie. Je trouverai pas comment trafiquer une serrure en dix secondes.

– Oh, ça me donne une idée. On pourrait rentrer par la fenêtre extérieure.

– Gisèle et Gérard sont au bord de la piscine.

Je dévisage la porte comme si elle volait mon lunch tous les midis depuis des années. Une envie me tiraille : la défoncer à coups de pieds sans me briser le gros orteil. J'ignore ce qui me retient. Un butin s'y cache. Une récompense offerte par la police m'attend.

– La barrure, c'est notre troisième preuve, dis-je en pointant la poignée.

Je remonte les escaliers.

– Dépêche, on décampe.

– J'ai peur.

Moi aussi.

Une dizaine de marches plus haut, je bifurque à gauche, puis encore à gauche dans la chambre où mes vêtements poireautent. Les plis de mon t-shirt n'ont pas déménagé, aucune main indiscrète n'est venue s'y balader.

J'enlève le maillot trempé, l'abandonne en tapon sur le plancher, saute sur le lit et me roule sur la couette jusqu'à ce que je me sois débarrassé d'un maximum de gouttelettes d'eau. J'insiste sur ma raie, me relève, enfile mes boxers dont la sueur a séché à demi ainsi que le reste de mon linge. Je place mes cheveux humides. Deux minutes à l'extérieur suffiront à les sécher. Aucun danger d'attraper le rhume comme en février.

Une fois habillé, je me faufile la main sous le matelas.

La preuve.

Encore là.

Je l'examine un instant.

Pas de doute, c'est la brassière de ma mère.

Chapitre 13

Il était une foie

– Est-ce que mes amis peuvent dormir ici ce soir ? On voudrait organiser un pyjama party.

Ma mère, de retour du travail depuis trois secondes et quart, la sacoche sur l'épaule, me dévisage sur le tapis d'entrée.

Dis oui.

– Est-ce que je peux rentrer ? demande-t-elle pour me faire réaliser mes méthodes invasives. Oui ? Merci, monsieur !

Elle dépose ses sacs à main et à lunch en soupirant, se penche et enlève ses souliers.

– Ouh, c'en est une collante, aujourd'hui ! As-tu passé une belle journée ?

Non.

– Mets-en. Bon, est-ce que je peux inviter mes amis ?

Elle sourit, puis saisit sa miniglacière coquette afin d'aller la vider à la cuisine. Je la suis comme un enfant de cinq ans talonne sa sœur aînée.

– S'il vous plaît.

Elle se retourne.

– Arrive-moi pas avec quarante chums !

J'en ai même pas cinq.

– Juste Tristan et Maxim.

– Parfait. Vous pouvez dormir dans le sous-sol sur nos matelas de mousse, ça va être plus frais. Toi qui aimes le camping !

Jojo se bidonne en rinçant un plat tupperware avec des traces de yogourt qui dégagent une odeur de suri.

Ha ! Ha ! Super pissant.

Elle se fout de ma gueule depuis mon camp des Aventuriers. Je me dois d'être respectueux envers tous, même le Seigneur, les obèses qui abusent des Jos Louis et les vieux pas de dents, mais elle se donne le droit de se moquer de mon aversion pour le plein air et de ma peur du noir.

Ma révolte interne gronde depuis que j'ai appris que tous les parents des Extrêmes étaient au courant de la supercherie des loups sanguinaires et de l'esprit vengeur de Charles Leblanc. C'était surligné en gras dans la mautadite lettre. Moi qui croyais que Jojo péterait les plombs et demanderait la tête du dirigeant comme elle l'avait fait pour madame Béliveau au retour de notre voyage à Ottawa. Non, elle avait trouvé mes terreurs nocturnes comiques, comme s'il s'agissait d'une vulgaire comédie à la télé.

«Ah tiens, Bine joue à dix-neuf heures, oh qu'on va se bidonner !»

Avec le ton de madame Je-Sais-Tout, elle m'avait expliqué que les légendes de fantômes autour d'un feu de camp se perpétuaient depuis des siècles. Désolé de mon ignorance, chère mère, mais Jacques Cartier ne m'en avait jamais glissé un mot, il était occupé à chercher ses maudites épices.

Elle avait prétexté que tout cela était bénéfique pour le développement de mon sens critique et qu'un jour, j'allais en rire. C'est drôle, ce matin j'ai usé de mon sens critique et elle ne l'a pas pris.

La tâche de la boîte à lunch terminée, ma mère s'assoit à la table et ouvre son Publisac chéri qu'elle avait oublié de consulter plus tôt dans la semaine. En temps normal, nous le recevons le mercredi, et le soir même, elle l'étudie par cœur en vue d'un examen imaginaire. Quel est le coût des sécheuses chez Sears[2] ?

Ma blonde est repartie chez elle depuis un bon moment. Son père l'a cueillie autour de seize heures. Tristan avait profité de son départ pour regagner sa *casa* française. Ils attendent mon appel pour se ramener les fesses.

Une fois que Jojo dormira dur, nous nous faufilerons en douce hors de la maison. Armés de lampes de poche, nous traverserons la rue avec la plus grande discrétion. À l'instar de Charles Leblanc, nous « apparaîtrons » devant le châssis de l'atelier de peinture où Monette complète ses chefs-d'œuvre. De là, nous pourrons dresser un portrait précis de

2. Essaie de dire le plus rapidement que tu peux : « Sécheuses chez Sears, sécheuses chez Sears, sécheuses chez Sears, sécheuses chez Sears, sécheuses chez Sears... »

la situation, inspiré du courant appelé le réalisme. Dans cette demeure, il n'y a qu'une toile : la toile de mensonges que la demeurée tisse à ses victimes.

Le pyjama party n'est qu'une couverture. Nous allons visionner un film au sous-sol, mais une fois la lune bien installée, nous nous métamorphoserons en espions haut de gamme. Tristan se charge du DVD, Maxim, du popcorn. Moi, je fournis la salle, les lits de mousse, la télé, le plan béton... et le jus de canneberges !

Je plonge la main dans ma poche gauche et saisis ma surprise.

– Toujours pas retrouvé ta brassière ?

Ma mère me répond d'un ton sec sans quitter des yeux les soldes qu'elle épluche page par page.

– Je peux pas l'avoir récupérée, je me la suis fait voler.

Je la sors et la lui brandis.

– Tu diras à ton voleur que je l'ai retrouvée.

Elle bondit et oublie l'existence de sa circulaire IGA.

– Elle était où ?

– Je l'ai trouvée dans les cèdres en jouant à la cachette.

Aucune hésitation dans ma voix. J'ai eu le temps de pratiquer mon histoire. Mentir, c'est comme les tables en calcul mental, il suffit de s'exercer au quotidien. Si je ne connais pas mes multiples, c'est que les mensonges grugent tout mon horaire.

– Ah non, ça les détruit quand vous jouez à ça. Ils sont pleins de trous.

Il y en a un de plus, de la largeur d'une tête de roux.

– On s'est pas cachés dedans, je te le jure.

Je veux élucider cette affaire de A à Z sans l'intervention de ma mère. Si je lui dis que j'ai retrouvé sa brassière beige chez la voisine, elle débarquera avec ses gros sabots. Et si elle opte pour la dénoncer et qu'elle appelle les flics pour une histoire de serre-boules piqué, les auto-patrouilles ne se précipiteront pas dans les minutes suivantes avec un mandat de perquisition. Les voleurs disposeront de tout le temps nécessaire pour supprimer le vélo et les autres objets du butin.

Elle plisse les yeux et les trois mille rides entre les deux, en haut du nez. Le scepticisme subsiste.

– Pourtant, j'épingle bien le linge sur la corde.

En même temps, en lui faisant gober qu'on ne la lui avait pas dérobée, ça me donne raison. Une leçon utile pour elle. Elle s'imagine qu'elle est propriétaire de la vérité. Juste parce qu'elle est une adulte et qu'elle a «beaucoup d'expériences de vie». Il faut toujours qu'elle ait le dernier mot. Pas cette fois-ci.

– Je comprends pas...

Une fois que j'aurai déculotté les crapules, je pourrai lui confesser ma menterie. Mon acte héroïque annulera ma faute. Dans tous les cas, j'en ressortirai gagnant.

– Il ventait pas tant que ça.

Arrête d'insister.

– Moi quand je me suis levé pour faire pipi, les arbres bougeaient pas mal.

Facile de me croire, je me réveille chaque nuit comme un pépé aux prises avec une vessie arrivant à expiration. Sauf que je n'observe jamais les branches virevolter à travers la vitre givrée de la salle de bains. Je garde les yeux fermés. J'use de toutes les stratégies pour me rendormir rapidement. Je connais le chemin par cœur, marche à tâtons tel un aveugle dont le chien guide est parti courir la galipote. Je peux baisser mes culottes et m'asseoir sans même ouvrir une paupière. À l'occasion, j'atterris les fesses dans l'eau parce qu'un imbécile n'a pas redescendu le siège avant d'aller se coucher. Moi.

Durant les heures où les vampires et les ratons laveurs s'activent, je pipisse assis. Ça me permet de continuer à roupillonner. Debout, il faut viser et, les yeux clos, les dégâts se font aussi fréquents que les desserts de Jello rouge à l'hôpital. À trois heures, frotter à quatre pattes un plancher de céramique glacé avec une pile de cinq mouchoirs, ça m'irrite pour six. Je passe alors l'heure suivante à sacrer plutôt qu'à ronfler.

Ma mère accepte mon explication. Pourquoi lui mentirais-je?

– Merci. Je trouvais ça bizarre qu'un voleur se contente d'un morceau de vêtement…

Sérieux?

Elle me niaise ou quoi?

– C'est ce que je me tuais à te dire ce matin.

– Mais oui, mais... j'étais fâchée!

Ah, OK. Super attitude!

Lorsque les adultes redoublent de furie, je dois dorénavant considérer qu'ils ont cessé de réfléchir et qu'il ne sert à rien de les raisonner.

– Peux-tu me rendre service pis la mettre dans le panier à linge sale, s'il te plaît?

– Tu l'as lavée hier.

– Elle a passé la nuit dans l'herbe.

Ah oui, c'est vrai!

– Si ça te dérange pas, je vais la relaver demain au cas où des bibittes se seraient construit un nid dedans.

Ou que Gisèle l'ait essayée.

Je descends au sous-sol et lance le soutien-gorge en m'imaginant qu'il s'agit du match numéro sept de la finale de la NBA et que je suis à une seconde de procurer le championnat aux Lakers. Il plane dans les airs puis cale au fond du bac vide sans toucher les rebords. *Swish!*

De retour au rez-de-chaussée, je saisis le sans-fil, m'enferme dans ma chambre et lâche tour à tour un appel à Tristan et à Maxim pour leur annoncer la primeur. Le pyjama party aura lieu.

Ils me promettent d'arriver vers dix-neuf heures, le temps de souper et de préparer leur trousse d'agent secret. Leurs parents ont accepté sans poser de questions. La mère de Tristan doit jubiler. C'est la première fois de l'Histoire que son rejeton rejet dort chez un pote. Et pas n'importe quel : le plus populaire de l'école !

La fiche du vélo est toujours ouverte sur l'écran de mon ordinateur. Je rafraîchis la fenêtre. Une dizaine de visites de plus. Aucune note mentionnant que l'article a été vendu. Ce qui indique qu'il se trouve encore dans un sous-sol, à une trentaine de mètres d'ici, direction nord.

Je retourne à la cuisine. Ma mère s'attaque aux offres à ne pas manquer de Jean Coutu.

– Est-ce que les amis sont moitié prix cette semaine ?

– Hein ? Je comprends pas.

– Laisse faire. Qu'est-ce qu'on bouffe pour souper ?

– Du foie.

Elle aurait répondu « du crottin de chèvre » que j'aurais esquissé la même grimace de dédain.

– On en a mangé samedi passé.

– Hier, t'as mangé des bagels pis ça t'a pas empêché d'en remanger ce matin.

– C'est pas pareil, c'est un déjeuner.

– Tu sauras qu'il y a des enfants en Afrique qui seraient bien contents de souper ici.

– Recommence pas avec tes Africains. Invite-les pis arrête d'en parler !

– C'est bourré de fer et c'est excellent pour toi. Si tu veux pas refaire de l'anémie...

– J'avais neuf ans, m'man, reviens-en.

En troisième année, j'avais été hospitalisé quelques jours. Je traînais des pieds depuis des semaines. La fatigue m'empêchait de déranger en classe. Mon enseignante aurait souhaité que mon mal s'éternise, mais quelque chose ne tournait pas rond aux yeux de ma mère. Quelques tests plus désagréables qu'une dictée avaient mené à la conclusion que je souffrais d'une grave carence en fer. On ne sait pas à quoi sert ce métal jusqu'à ce qu'on en manque.

Durant mon séjour à l'hôtel des malades, un poteau tenant une poche de potion magique me suivait partout. Le sérum s'écoulait dans mes vaisseaux sanguins via des tubes transparents. Plusieurs prises de sang chaque jour. Au début, je m'évanouissais en apercevant les fioles que l'infirmière comptait remplir. À la fin, je souriais en contemplant l'aiguille percer ma veine du repli du coude.

De retour chez moi, j'avais été obligé d'avaler une cuillérée de sirop à saveur de barreau de balcon tous les matins pendant des mois.

Depuis ce jour, ma garde-malade dissimule du foie partout : dans la sauce à spaghetti, dans le pâté chinois, dans la tourtière. Elle a même mijoté l'idée d'en broyer dans des popsicles maison aux raisins. Des Mr. Freeze raisin-bile, miam !

– Tant que tu vas grandir, ça va être important. Le docteur l'a dit.

– Le médecin t'a aussi conseillé de faire plus d'activité physique pour ta pression pis tu le fais pas.

– Je suis ta mère et je t'aime. Mon travail, c'est de faire ce qui est approprié pour toi.

Je suis mieux placé que toi pour le savoir.

Seul moyen que j'ai trouvé pour ingurgiter le foie de porc : le couper en minimorceaux, les noyer dans la moutarde jaune et mixer le tout avec une montagne de patates pilées. Idéalement en me pinçant le nez à chaque bouchée pour masquer le goût amer.

– On n'avait pas d'autre courrier que ça ? demande-t-elle en soulevant le monticule des dix mille réclames publicitaires.

– C'est pas assez ?

– On était censés recevoir la lettre de l'école cette semaine.

L'enveloppe et son contenu en lambeaux sont cachés au fond de mon tiroir à bobettes. Si ma mère l'avait lue, je pouvais dire adieu à mon pyjama party.

Cette institution privée réputée, elle y comptait tellement. J'ai l'impression de briser son rêve. Souhaite-t-elle que je devienne médecin et que je lui ordonne de faire plus de sport ?

Je lui montrerai la lettre dès que ces vols mystérieux seront résolus, après avoir décroché ma médaille de bravoure. La pilule passera mieux.

– J'ai pas vu ça. Elle va sûrement arriver lundi.

Chapitre 14

Robe de chambre party

En ouvrant la porte, je découvre un Tristan vêtu d'une épaisse robe de chambre blanche semblable à celle de ma mère. Dans ses pieds, des pantoufles en Phentex. Il s'est promené dans la rue avec ça?

– Qu'est-ce que tu fais habillé en guidoune?

– Mon pyjama était au lavage.

– T'as l'air d'un vieux mononcle.

– Elle est ultra confortable, touche!

Il tend le tissu, s'imaginant que je caresserai cette espèce de serviette à deux manches. Du revers de la main, je lui fais signe d'oublier le projet. Je le crois sur parole.

Je n'ai jamais compris le *trip* de se balader avec un kimono douillet dont la ceinture que l'on noue à l'avant est d'une rare incompétence. Elle lâche toutes les dix minutes. Mais même si elles tenaient en place, les robes de chambre posent un second problème majeur: elles ne cachent pas la moitié des jambes. L'hiver, je suis frileux des mollets, pas des épaules.

– Là, est-ce que t'es tout nu en dessous?

– J'ai mis des caleçons, voyons!

– On sait jamais, tu te promènes la graine à l'air dans tes bermudas.

– C'est juste arrivé quelques fois.

Quelques fois de trop.

Maxim débarque au même moment de la camionnette familiale, vêtue d'un pyjama rose deux-pièces. Une barbe à papa vivante.

– Salut, les gars.

Son père baisse sa fenêtre, nous souhaite une agréable soirée, nous envoie la main, puis s'éclipse.

Je ne possède aucun pyjama. Trop bébé à mon goût. Quand j'accompagne ma mère chez IGA, je ne demande pas une balloune à la caissière. Et chez St-Hubert, la serveuse ne m'offre plus de crayons de cire pour barbouiller mon napperon en papier en attendant ma salade de chou mégacrémeuse.

Rien de plus inconfortable que de faire dodo habillé. Le tissu finit toujours tout twisté autour du dos et des bras, donnant la sensation qu'un boa nous étouffe. Les couvertures chaudes n'ont pas été inventées pour le simple plaisir de vider les champs de coton.

Comme je sais ce qui s'en vient cette nuit, j'ai opté pour des pantalons de nylon minces Adidas et du noir de la tête au pied. De toute façon, cette couleur représente la majorité de ce que je porte. Pas que je sois sombre et négatif comme un gothique, c'est juste que le vert fluo me donne un air d'asperge radioactive, le jaune, d'un citron joyeux et l'orange, d'une citrouille maigrichonne. Le rose, nul besoin d'en discuter, je refuse toutes les teintes de fille, ce qui inclut le bleu poudre, le turquoise, le mauve, le violet, le lilas et toutes les variantes de prune. Le look «coco de Pâques», non merci.

Ma mère accueille mes amis et les salue. Une attention particulière à ma blonde, sa préférée. Elle l'adopterait demain matin. Moi, je seconde.

Au sous-sol, ils déposent leur sac à dos sur leur matelas de mousse, derrière le divan. Maxim en ressort un énorme sac de maïs soufflé ultra beurre.

– On s'est arrêtés au dépanneur, ça va être moins compliqué que des sachets dans le micro-ondes.

Elle enfile des pantoufles de panda format «bottes de ski» aux semelles aussi épaisses et moelleuses que trois guimauves superposées. Des chaussettes synthétiques toutes désignées pour résister aux froids sur Mars.

– Moi, j'ai apporté deux DVD. *Les aventures de Rabbi Jacob*, vous connaissez?

– C'est quoi, ça? que je lui demande en m'emparant de la pochette vieillotte. Ç'a l'air plate.

– C'est un film français hyper rigolo.

– Yark! Pas un film français! se plaint Maxim.

– Lui est hilarant! C'est avec Louis de Funès.

C'est qui, lui?

Au centre de l'image, un homme, qui n'a pas l'air sain d'esprit, porte un chapeau noir et arbore une longue barbe séparée en deux, comme des lulus. Il ressemble à Claude Robinson, cent kilos en moins.

– Je le connais pas ton Louis de Foutaise.

– Moi non plus, renchérit Maxim, peu inspirée par ce choix.

Je lis à l'arrière, habitué aux caractères minuscules depuis l'épisode du Hertel.

– Eille, c'est un vieux film de 1973. Moi, je regarde pas ça.

– C'est un classique du cinéma français, insiste Tristan.

Devant notre indifférence la plus totale, il replonge la main dans son sac.

– Là, je crois que vous allez aimer… TADAM!

Tout sourire et s'attendant à une ovation, il agite la pochette de *Bambi*.

Bambi…

Bambi?

BAMBI!!!!!!!!!!!!!!!!!!!

– Calvince, c'est un film pour enfants!

– J'ai vu ça quand j'avais cinq ans, grogne Maxim.

– Vous m'aviez dit que vous adoriez les films d'animation.

– On aime *Ice Age*, *Shrek*, *Kung Fu Panda*, pas des vieilles quétaineries.

– Vous allez voir, c'est marrant, surtout la scène où il essaie de marcher sur la glace et qu'il tombe!

– Un chevreuil qui joue avec un lapin pis une mouffette, c'est épais.

– C'est pas un chevreuil, c'est un faon.

– Un faon, c'est un bébé chevreuil, toto.

– Va en chercher un autre, lui ordonne Maxim.

– Ma mère est partie, elle en profite pour souper avec des amies. Et on n'a pas d'autres bons films.

– Parce que tu considères qu'eux autres sont bons ?

– C'est deux classiques.

– Eille, lâche-moi avec tes classiques ! Moi, je m'attendais à une comédie avec Adam Sandler ou Jim Carrey.

– Le gardien des Canadiens joue au cinéma ?

– Laissons faire, les gars.

Elle baisse le ton au cas où des oreilles indiscrètes seraient à l'affût.

– De toute façon, on n'est pas ici pour se claquer des bons films.

Je leur offre du Coke et ils répondent par la positive.

– Toi, Tristan, je te le verse dans un verre ou bien dans un biberon ?

– Ha ! Ha ! Très drôle, ironise-t-il. Tu sauras que *Bambi*, c'est comme *Tintin* : ça s'adresse aux sept à soixante-dix-sept ans.

– Ce qui me donne raison : *Tintin*, ça m'intéresse pas.

Pour faire sa branchée, madame Béliveau avait préparé tout un module avec cette thématique à la fin de l'année. Milou et les sosies louches Dupond et Dupont n'avaient plus de secrets pour moi.

À la chambre froide du sous-sol, tiède en cette période de canicule, je déniche, au milieu de quelques réserves d'épicerie, un deux litres datant de Noël. Coke en stock[3]. J'en ignore la durée de conservation, il faudrait interroger le professeur Tournesol. Mille millions de mille sabords d'années si je me fie à la liste des ingrédients.

Je monte au rez-de-chaussée et prends trois verres dans l'armoire de la cuisine. La Castafiore termine de laver la vaisselle, dont la poêle qui a servi à faire rôtir les tranches de foie aussi tendres que des rondelles de hockey sur le barbecue.

– Est-ce que tu te couches de bonne heure ce soir? que je demande à ma mère en laissant la subtilité au vestiaire.

– Je sais pas, pourquoi?

Si elle pouvait se glisser dans les draps tôt, nous pourrions mener notre enquête avant minuit. Je n'ai pas envie d'attendre des heures avant qu'elle s'endorme et d'écouler le temps en regardant un chevreuil apprendre à patiner, encore moins en écoutant les péripéties palpitantes de Tristan.

Son répertoire n'est composé que de trois anecdotes: la fois où il a perdu un soulier dans l'enclos des autruches au zoo de Granby, le Noël où le sapin a pris en feu dans le salon et la fois où il a démoli

3. Les plus finfinauds d'entre vous auront remarqué qu'il s'agit du titre d'une des aventures de Tintin. La blague fonctionne pas mal moins avec *Objectif Lune*. Les plus finfinauds des finfinauds auront encore une fois remarqué qu'il s'agit du titre d'un autre album. Mais j'aurais tout aussi bien pu écrire *L'oreille cassée*. Les plus finfinauds…

un nid de guêpes en lançant des roches. Je les connais par cœur, ses histoires inventées.

En réalité, j'ai la certitude que le sapin a senti le brûlé un brin. Chaque année, il en rajoute une couche, de la même manière que les pêcheurs allongent leurs prises, eux qui transforment un crapet-soleil de dix centimètres en espadon d'un mètre. Dans dix ans, c'est toute la maison qui aura flambé à cause d'un pet d'écureuil dans le creux d'une branche.

– Je voulais avoir une idée pour pas qu'on fasse trop de bruit.

– C'est gentil, mais au pire, je vais dormir avec mes bouchons.

Peux-tu les mettre tout de suite?

Elle a adopté cette habitude récemment. Elle n'en pouvait plus que Killer aboie à chaque étoile filante et que le patapouf beugle à son chien d'arrêter de beugler. Au lieu de régler le problème et de confronter le colon, elle a vidé l'étalage chez Pharmaprix. Habitude dégueulasse à la puissance mille, elle se sert de chaque paire plusieurs fois, peu importe si de la cire jaune s'y est incrustée.

Insiste.

– Veux-tu que je te fasse couler un bain?

Elle m'observe d'un air interrogateur.

– Mon Dieu, t'as hâte que j'aille me coucher pis c'est vrai!

– Pas du tout, t'es crevée. Ça te ferait du bien.

– Ce matin, j'avais l'air vieille, là, j'ai l'air fatiguée. Ça va pas ben mon affaire, on dirait ! Inquiète-toi pas, je vous dérangerai pas. Je m'en vais m'enfermer dans ma chambre. Y'a une amie au bureau qui m'a prêté son livre *Cinquante nuances de Grey*. Depuis le temps que j'en entends parler.

– Tu lis jamais de romans. C'est quoi ton affaire de Coupe Grey ?

– Un roman éroti... romantique !

– T'aimes ça, les histoires de fesses ?

– Non ! Surtout pas. Ouache ! Euh... Je suis juste curieuse. Ma chum m'a dit que c'était niaiseux.

– Pourquoi tu le lis si c'est niaiseux ?

Elle rit.

– Ça me fait du bien, à moi aussi, de mettre mon cerveau à *off*.

– Pis ça te prend des gens qui baisent pour te détendre ?

– Hum ! Hum ! On dit « faire l'amour ».

Je la quitte et retourne en bas. Maxim tente d'ouvrir la porte du lecteur DVD.

– Elle fonctionne pas, ta machine.

Je la tasse du chemin.

– Laisse le pro de la techno s'en occuper.

J'appuie sur POWER. Rien ne se produit. Je pèse à nouveau.

– Tout va bien, monsieur le pro ? demande-t-elle.

– Super bien, que je réponds en m'impatientant.

Tristan se penche à quatre pattes et inspecte sous le meuble télé.

– Le fil est mal branché.

Il étire le bras, puis ON apparaît sur l'écran d'affichage du lecteur DVD.

– Oh, c'est quoi ça? s'exclame-t-il.

Il se relève, une boule gris foncé dans la paume, en forme de saucisse cocktail.

Pouhahahaha!

Je fais semblant de rien, mais retenir mon sérieux est la chose la plus ardue. Le premier avril, je suis incapable de jouer un tour. Ma face de pet me trahit.

– Aucune idée. Sais-tu, toi, Maxim?

Elle s'approche et examine de plus près.

– On dirait de la poussière, analyse-t-elle avec sincérité.

– Tristan, sens-le, voir.

Il se colle le nez dessus. Je lui donne une tape sous la main et la boule s'écrase sur son museau. Je croule de rire.

– Ark, c'est mouillé en dedans! se plaint-il. Qu'est-ce que c'est? Ça pue!

Les deux me regardent sans comprendre. Ça paraît qu'ils n'ont pas de chat.

– C'est un crachat de poils d'Anorexie!!!!

– Bordel, t'es con, tu m'en as mis sur la bouche!

D'un mouvement brusque, il se débarrasse du corps mystère.

– Putain, je crois que je vais dégobiller!

La bouette atterrit sur l'épaule de Maxim.

– HIIIIIIIIIIIIIIIIIIII !!!! hurle-t-elle.

Elle la repousse comme s'il s'agissait d'une araignée. Le dégueulis humide retombe sur le tapis.

– Voulez-vous que je vous désinfecte avec du Hertel ?

Je ris comme un déchaîné.

– T'es cave, s'indigne Maxim, hésitant entre la rigolade et l'horreur.

– Mais pourquoi vomit-elle du poil ? demande Tristan. Elle souffre d'une maladie ou quoi ?

– Un virus mortel, j'espère que tu l'as pas attrapé.

– Oh arrête, je sais que tu niaises.

– Je niaise pas du tout.

– Si.

– Si quoi ?

– Tu m'emmerdes !

– Parlant de merde, va te laver, tu en as sur le coin de la bouche !

Il panique.

– C'était du vomi ou de la crotte ?

– Je suis pas certaine, mes cheveux sentent bizarres, répond Maxim en retenant un fou rire.

– Vous êtes pas drôles. Un jour, je vais me venger.

– Comment ? En crachant du poil ?

J'en profite pour enfoncer le clou avec une voix de maman qui s'adresse à son bébé naissant.

– Vite, Tristan, *Bambi* commence, ga-ga-gou-gou !

Maxim et Tristan montent à l'étage se rincer, puis reviennent. Nous nous affalons dans le divan deux places. J'ai mal calculé mon coup, Tristan s'est assis dans la craque entre les deux coussins. Ma cuisse ne pourra pas frôler celle de Maxim. J'aimerais tant jouer dans ses cheveux si doux qui sentent la fraise. Toute sa peau dégage une odeur fruitée. C'est à se demander si de la confiture ne lui coule pas dans les artères.

Fraisinette ouvre son sac de popcorn. Plus intéressant à déguster devant un film d'action que devant un film pour bambins. Mais je me console, l'action, nous allons la vivre plutôt que la regarder.

Obstacle majeur en juillet : le têtu de soleil refuse de décamper avant vingt et une heures. On ne peut songer à espionner au bord d'une maison lorsqu'il fait clair. Des passants font des promenades, des voitures circulent, sans compter que nos voleurs seront éveillés. Danger. Pour rien au monde je ne voudrais tomber face à face avec le mari. La scène du grand baveux qui a traité sa femme de vieille conne tapisse sa mémoire.

On a donc quelques heures à tuer.

Le film commence. Les dessins datent, l'image granuleuse trahit la technologie de l'époque. Finalement, on aurait été mieux de mourir d'ennui avec sa bêtise de Louis de Funeste.

Je n'entends rien au premier. Comme promis, ma mère doit lire son roman de foufounes à l'air. Elle a toujours hâte d'aller se coucher. Le matin, elle n'a pas déjeuné qu'elle rêve déjà à sa soirée, au bain qu'elle prendra en feuilletant des magazines de décoration, puis aux draps qu'elle caressera. On dirait qu'elle a quarante ans de fatigue accumulée. Elle chérit le rêve de dormir cinq journées d'affilée, histoire de «récupérer une fois pour toutes».

Au bout d'une introduction longuette, le mot se passe entre les chevreux de la forêt que des chasseurs rôdent dans les parages. Ils prennent la fuite comme les buffles dans *Le roi lion*, un peu avant que Mufasa soit assassiné par son frère. Sans que ce soit montré – pas très Disney, une cervelle sanglante! –, on devine que la mère de Bambi se fait abattre et terminera ses jours en ragoût.

En ramassant un grain de maïs tombé à ma droite, je remarque que des larmes coulent sur la joue de Tristan. Il s'essuie avec sa robe de chambre.

– Tristan a de la pei-peine?

Surpris, il se tourne vers moi.

– Pas du tout. Je crois que je suis allergique au poil de chat. Ça pique dans ma gorge.

Il tousse tout ce qu'il y a de plus faux pour prouver son point. Ses yeux vitreux trahissent son chagrin. Une allergie n'apparaît pas comme ça, d'une minute à l'autre.

– Pauvre Bambi, sa maman est morte, bouhou bouhou!

Je lui chatouille la pommette de mon index. Il me repousse, agacé.

– Ça suffit, Bine! ordonne Maxim avec un trémolo dans la voix. Pas grave, Tristan, moi aussi je trouve ça triste.

Quoi?

Elle se moque de lui ou bien quoi?

Je l'observe attentivement et constate que, en effet, elle a le cœur gros.

Youhou, les amis, c'est un film animé!

– Fais pas ton *tough*, Bine, t'as pleuré quand on a regardé *King Kong*.

– Je pleurais pas pantoute!

Je passais l'après-midi chez Maxim en ce samedi pluvieux d'avril. Il n'y avait rien à glander. Nous avions consacré la matinée à vendre du papier de toilette à la pluie battante pour la campagne de financement. Son père, pour m'impressionner avec son cinéma-maison, nous avait présenté les mésaventures d'un gorille géant qui tombe en amour avec une femme sexy. À la fin, le primate aux stéroïdes se faisait buter par une armée complète au sommet de l'Empire State Building. J'ignore pourquoi, mais j'avais eu le motton. Une nuit entière à pleurnicher la mort d'un singe. Je me trouvais tellement crétin. Peu importe que je me raisonne, les larmes continuaient de couler et ma gorge, de m'étouffer.

– Je bâillais, j'étais fatigué cette journée-là.

– C'est pour ça que tu t'étais enfermé dans les toilettes après?

– Pff! Non, je suis constipé des fois.

Si elle croit que je vais me confesser, elle se met un doigt dans l'œil. Je mangerais le crachat de poils d'Anorexie, j'inventerais qu'un ver solitaire hantait mes intestins plutôt qu'avouer que j'avais braillé à la fin de *King Kong*. C'était la faute des artisans du film. Pourquoi le faisaient-ils crever à la fin ?

– Pauvre Bambi, murmure Maxim.

– Il est pas chanceux d'avoir perdu sa maman, renchérit Tristan.

Et il éclate en sanglots.

Ma mère dévale les escaliers.

– Est-ce que tout va bien ? demande-t-elle en arrivant au pas de course. J'ai entendu des pleurs.

– On regarde un film triste, l'informe Maxim.

Les yeux de Jojo s'écarquillent.

– Oh, c'est *Bambi* ! Tellement bon, ce classique-là !

Elle s'assoit sur l'appuie-bras à côté de Maxim.

– Ah non, sa mère vient de mourir. Je braille chaque fois. Est-ce que c'est passé, le bout où Bambi patine ? C'est crampant.

Une quatrième personne se joint au pyjama party, une intruse qui préfère *Bambi* à l'histoire cochonne des nuances de gris.

Chapitre 15

Une colombe rousse est partie en voyage

Vingt-deux heures trente-huit, si je me fie au magnétoscope poussiéreux au-dessus du lecteur DVD. Ma mère le conserve au cas où une bulle au cerveau la pousserait à se taper ses vieilles cassettes VHS de partys de famille où ma tante se lamentait à la caméra, puis vomissait dans le bol de punch. Comme quoi il n'y a que la technologie qui évolue…

Bambi a terminé de s'amuser avec Panpan depuis un bon moment. Jojo nous a collés comme une sangsue jusqu'au générique, puis nous a fait l'honneur d'aller au lit pour ainsi mettre un terme au pyjama party SUPERVISÉ.

Dommage collatéral : la goinfre avait vidé la moitié du sac de popcorn à elle seule. J'avais eu la chance de grignoter quelques poignées et depuis, mon taux de sel avoisinait celui de la neige brune l'hiver. Sont-ils obligés d'en ajouter autant ? J'aime le goût salé, mais lorsque je dois caler un verre d'eau après chaque bouchée, mon petit doigt me dit que quelque chose cloche.

Voilà une heure que nous pitonnons sans but précis afin d'écouler le temps. On a eu droit à une émission publicitaire vantant une ceinture qui envoie des décharges électriques aux abdominaux pour les muscler sans effort (j'en veux une!) ainsi qu'une compétition de dards. Garrocher des minijavelots pour marquer des points, que d'action! Que de revirements! À quand un championnat mondial de pétanque télévisé et commandité par Red Bull?

Nous avons calé le deux litres de Coke à trois. Maxim nous a roté l'alphabet, un vrai classique contrairement à *Bambi*, ainsi que toutes les phrases débiles que nous lui avons suggérées. J'ignore sa technique, mais je l'envie. Savoir éructer est un atout indéniable dans la vie.

Vingt-deux heures quarante.

La mission.

Je donne le *go* officiel et laisse la télé ouverte afin de laisser un bruit ambiant. Si ma mère se réveille, elle présumera que nous nous tapons le film de Louis de Foufounes. Plus prudent ainsi. Le silence attirerait les soupçons. Elle sait que nous jaserons passé minuit, qu'elle impose ou non un couvre-feu.

Nos respirations ont tout à coup adopté un rythme soutenu. La nervosité se sent, se palpe.

— Ça nous prend un nom de mission, déclare Tristan.

— Pas encore du niaisage de nom! que je rouspète.

— C'est important, c'est une mission capitale.

Il s'éclaircit la gorge.

— Je déclare officiellement le coup d'envoi de l'Opération… euh… attendez… de l'Opération… Ping Pow Chow!

Misère…

— Excellent nom! ricane Maxim.

Elle enlève ses pantoufles d'astronaute et sort de son sac à dos un pantalon de jogging noir uni ainsi qu'un coton ouaté assorti. On croirait que nous nous sommes appelés pour choisir une tenue identique. Elle enfile son costume de camouflage parfait par-dessus son pyjama paparmanne.

– Qu'est-ce que tu fais, Tristan? s'impatiente-t-elle une fois prête. Change-toi.

Il est figé comme un gamin qu'on a surpris la main dans le pot à biscuits placé au-dessus des armoires.

– J'ai pas d'autres vêtements.

Idiot!

– Donc toi, quand t'as une mission d'espionnage en pleine nuit à faire, tu te dis qu'une robe de chambre blanche, c'est numéro un?!

– Qu'est-ce que t'as dans ton sac? l'interroge Maxim.

Il vérifie l'intérieur pour ne rien omettre.

– Ma brosse à dents… mon oreiller… et une gourde.

Je lève le ton:

– Fais-tu juste boire de l'eau, toi, coudonc?

Il devine qu'il ne s'agit point d'une question et reste muet.

– T'as même pas de souliers, râle Maxim. Tu vas courir en pantoufles ou quoi ?

– Si. Et là, Bine, ne me dis pas « si quoi ? », je vais me fâcher.

Ouh, j'ai peur !

Par la fenêtre du sous-sol, plus étroite et basse que celles à l'étage, je remarque le lampadaire hors d'usage en bordure du trottoir. Bonne nouvelle, les employés de la ville n'ont toujours pas remplacé l'ampoule de dix mille watts brûlée depuis six mois. Ils se la coulent douce : la moitié des réverbères du quartier sont kapouts. Plusieurs scintillent comme les néons d'une maison hantée et émettent des bzzz bzzz troublants.

– On va sortir par ici, que je leur annonce.

– Pourquoi pas par la porte ? s'inquiète Tristan.

Maxim répond à ma place :

– Ça va réveiller Jocelyne.

Monter les escaliers jusqu'au rez-de-chaussée se classerait dans la catégorie des missions kamikazes. On passerait à proximité de sa chambre. Un craquement de bois sous nos pieds ou un éternuement fortuit suffirait à tout bousiller nos efforts de discrétion, que des bouchons malpropres soient enfoncés ou non dans ses oreilles.

J'estime l'ouverture de la fenêtre suffisamment généreuse pour m'y glisser. Je n'ai jamais essayé, aucune fuite n'a encore exigé ce chemin et je ne pourrais invoquer aucun motif pour fuguer, outre le fait que ma marâtre me force à avaler du foie chaque semaine. Maxim et Tristan sont des nains comparés à moi, donc si je réussis, eux aussi y parviendront. Le Français a beau avoir une tête d'eau jumbo, elle n'est pas plus large que mon bassin.

Nous convenons de l'ordre. Maxim en premier, ce qui lui permettra d'aider Tristan à s'extirper pendant que je lui pousserai les fesses. Pas celles de Maxim, celles de Tristan. Et moi, je grimperai en dernier. Mes bras extensibles d'Inspecteur Gadget me prêteront main-forte.

Ce ne sera pas une balade dans le parc. L'extrême prudence s'impose. Cette fenêtre donne sous la chambre de ma mère. Nous déboucherons à quelques mètres d'elle. Comme nos voisins tapageurs dérangent à des heures impossibles, elle dort probablement les vitres fermées. Je dois d'abord m'en assurer, mais dans un cas comme dans l'autre, nous ne pouvons nous offrir le luxe de communiquer à voix haute. S'il fallait qu'un bruit l'alerte et qu'elle nous aperçoive en train de multiplier les courbettes dans le gazon, nous aurions l'air de trois blés d'Inde. Surtout l'autre en jaquette.

Comme il y a un moustiquaire[4] à droite, j'ouvre la fenêtre double de gauche et fais la courte échelle à

4. L'auteur de réputation internationale que je suis est bien au courant que le mot moustiquaire est féminin, mais il milite afin qu'il devienne masculin. Joins-toi à la coalition à l'adresse www.onditdelacantaloupe.ca.

l'heureuse élue. Cela me rappelle la fameuse fuite de cet hiver, alors que des policiers inspectaient l'école. Ce coup-ci, les chances de blessure se révèlent aussi minces qu'une croustille Lay's. Dame Nature s'est rangée de notre côté.

Maxim se propulse dans mes paumes, s'agrippe sur les rebords de la fenêtre, se tire vers l'avant, rampe, se retourne et glisse ses bras à l'intérieur.

– C'est à ton tour, Tristan, murmure-t-elle.

Il renoue sa robe de chambre, on commençait à lui voir la poitrine. Une fois qu'il empoigne les mains de Maxim, j'hérite du rôle plate, celui de la catapulte fessière.

Je pousse, Maxim tire, Tristan gémit. Son peignoir est si épais que ses hanches coincent dans l'ouverture.

– Serre tes fesses, ça va t'aider.

– Aïe, arrête de me pousser !

– Chut ! implore Maxim.

– Je souffre.

Sur le bout des pieds, je saisis les cuisses de Tristan – contact peau à peau, soit dit en passant – et tente de l'éjecter en douce. J'ai la tête entre ses jambes, le nez collé sur ses culottes.

Enchanté, bobettes rouges.

– Je t'avertis, si tu lâches un pet, je te tue !

– Fais attention, il a mangé de la soupe aux pois pour souper, m'informe Maxim.

– Arrêtez de déconner et aidez-moi.

Je ne peux pas forcer comme un déchaîné. Il risque de réveiller ma mère… et tout le quartier. J'ai l'impression d'enfoncer un suppositoire pour éléphants dans le péteux d'une gerboise. Il faudrait que je l'enduise de Vaseline ou que je le pouch-pouche avec du Jig-A-Loo.

– Vous me faites mal.

– *Let's go*, j'ai ton derrière dans la face.

Sa robe de chambre mottonne. J'essaie de la dompter, elle s'entortille dans tous les sens sauf le bon.

– Attends, Bine, dit Maxim. Bouge pas, Tristan.

Elle tire le tissu vers elle. Il se distend, menace de flancher, mais résiste. Une fois libéré de l'emprise du châssis, le kimono douillet remonte jusqu'aux épaules du prisonnier, le laissant nu ou presque.

– Ça m'étouffe !

Les hanches de Tristan réussissent à passer. Il se redresse, pousse un soupir de satisfaction et replace le motton de coton qui lui comprime le gorgoton.

– Elle n'est pas grande, ta fenêtre.

– C'est pas ma fenêtre le problème, c'est ta christie de jaquette !

– C'est pas une jaquette, c'est une robe de chambre.

– Peu importe, les deux sont pour les filles.

– Grouille, Bine, insiste Maxim en bousculant Tristan sur le côté pour me céder le passage.

D'un bond, je me soulève le corps avec facilité. Je me faufile avec la grâce d'une anguille qui zigzague entre les roches. Pour un gars aussi musclé qu'un furet, je m'impressionne. Un plongeon impeccable plus tôt, là, une cascade complexe. Mais les compliments ne viennent pas…

L'air s'est rafraîchi. La Lune luit. La rue somnole. Je ne capte que l'écho lointain de voitures qui grondent et le chant des criquets qui se tapent beaucoup d'heures supplémentaires ces jours-ci.

J'habite dans un quartier peuplé de vieillards ou de jeunes familles, tous des gens qui se couchent avant le téléjournal du soir. Ma seule inquiétude reste le gros baquais d'à côté. Cale-t-il des bières sur son balcon ? Les jumeaux traînent-ils dans les parages ?

Je m'étire le cou et étudie la chambre de ma mère : fenêtres fermées, rideaux clos, aucune lumière. Lecture en apparence terminée. Tout va comme prévu de ce côté.

– Tu es trop visible, Tristan, constate Maxim. Il faut régler ça.

Un tarla habillé en fluo pour jouer à la cachette dans la forêt, voilà de quoi il a l'air. Elle s'avance vers la haie de cèdres et casse une branche touffue.

CRAC !

Elle l'enroule sur elle-même une quinzaine de tours jusqu'à ce qu'à ce que la pelure d'écorce obstinée cède.

– Tiens ça devant toi, lui ordonne-t-elle en la lui tendant.

Il s'exécute sans rouspéter. Ce n'est ni le moment ni l'endroit pour une causerie.

Échec.

Il ressemble à un idiot en robe de chambre mal dissimulé derrière une branche de cèdre.

Je viens à sa rescousse et sabote les buissons à mon tour.

– Lousse ta ceinture.

J'y glisse une première branche, puis une deuxième et ainsi de suite jusqu'à ce qu'une couronne de conifère lui encercle la taille.

Voilà qui est mieux.

– C'est inconfortable, ce truc, se plaint-il.

– T'avais juste à t'apporter des vêtements de camouflage.

– Ils étaient au lavage.

– Eille, lâche-moi le lavage ! Vas-tu me faire croire que tes souliers étaient dans le panier à linge aussi ?

– Elles sont foncées, mes pantoufles. C'est ce qu'il faut, non ?

– T'as raison. Si ma mémoire est bonne, je pense qu'Usain Bolt a réalisé ses records du monde en pantoufles.

– Aurais-tu aimé mieux que je vienne nu-pieds ?

– Non, j'aurais préféré que tu viennes pas.

Tristan peste, puis sa voix change :

– Vous trouvez pas que c'est dangereux ce qu'on fait ?

– Oui, que je réponds, mais il faut souffrir pour être beau.

– C'est quoi le rapport ? me demande Maxim.

Aucune idée.

Je l'ignore, marche en petit bonhomme jusqu'aux cèdres séparant les deux cours et tente de voir si l'alcoolique picole.

Coup de chance, la lumière du perron est éteinte. Pas de mal élevés dans les parages.

La fenêtre de la pièce dissimulant le butin se cache légèrement à notre droite, de l'autre côté de la chaussée. Maxim rampe jusqu'au trottoir, vérifie à droite, à gauche, puis nous indique que la voie est libre.

Je conquiers la rue en cinq enjambées. Dès que j'arrive en bordure de la cabane aux trésors, je glisse sur le gazon tel un joueur de baseball qui tente de voler le deuxième coussin.

Je me retourne. Tristan court en grimaçant, la robe de chambre à moitié ouverte. La dernière branche tombe sur l'asphalte.

Misère !

Adieu le camouflage. Son arsenal a tenu le coup deux secondes et quart.

La colombe nous rejoint et s'accroupit, au bord de l'agonie. Essoufflée, elle enlève sa pantoufle droite, saisit son pied dans ses mains et scrute avec horreur une goutte de sang.

– Je me suis planté une roche dans le talon. Ça fait mal !

– L'idée, aussi, de te promener en pantoufles en Phentex, maudit niaiseux !

– C'est gentil, ça, bourrasse-t-il. J'ai attrapé le tétanos, et toi, tu m'insultes !

– Vos gueules, chuchote Maxim avant que je le traite de tous les synonymes de « bozo ». Arrêtez de faire les bébés pis suivez-moi.

Nous nous traînons jusqu'à la fenêtre, quelques mètres plus loin.

Merde !

J'aurais dû y penser…

Chapitre 16

Crises de cœur à volonté

Maudits rideaux ! Ils nous empêchent d'y voir quoi que ce soit.

C'est pas des amateurs, eux autres.

– Bordel, on a tout fait ça pour rien !

Pis on a écouté Bambi pour rien !

Maxim se gratte la tête.

– Je trouve ça suspect, des rideaux dans un sous-sol. Ça sert à rien. Nous, on en a dans toutes les pièces sauf dans la cave.

– Nous aussi, que je renchéris.

– Pas nous, ajoute Tristan. Je crois que c'est parce que notre maison est feng shui.

C'est quoi, cette folie-là, encore?

– Ça sonne comme une race de chien, ton affaire.

– Non, c'est…

– C'est pas le temps, coupe notre préfète de la discipline. On s'en fout de ton fling schwing. Qu'est-ce qu'on fait ?

Sans grand espoir, je tente d'ouvrir la fenêtre de l'extérieur. Clenchée, bien entendu. Un professionnel ne laisse pas un local rempli d'objets dérobés sans un minimum de protection.

– Je me demande ça fait combien d'années qu'ils volent dans le quartier, dis-je en faisant la moue.

– C'est sûrement pas récent, susurre Maxim.

– Je vais le dire à mon père et il va leur éclater la tronche, vous allez voir !

Laurent la terreur nue en bermuda.

Il me manque un tournevis pour faire sauter les barrures. Je ne saurais pas trop comment m'y prendre. Un film d'action m'aurait donné quelques indices, mais pas un chevreuil sans défense, encore moins une comédie avec Louis de Feng Shui.

– Oublie ça, lance Maxim alors que j'essaie de forcer la fenêtre pour la troisième fois.

– Je retrouverai jamais mon vélo…

– Sois positif, le fougne chwi.

– Feng shui, me corrige-t-il.

– Va donc shui !

Un bruit dans la cour arrière attire mon attention.

– Avez-vous entendu ? que je leur demande, tétanisé.

Ils secouent la tête et se couchent au ras le sol.

– Shhhhhh ! Ils sont sortis parce qu'on faisait trop de bruit, chuchote Maxim

– Ils vont nous trouver, grimace Tristan.

Elle s'éloigne jusqu'au coin de la maison et observe du côté de la piscine.

Elle hausse les épaules, puis revient.

– Y'a rien. C'était probablement une mouffette.

– Ah non, pas une mouffette ! rouspète Tristan.

Des rires dans la rue.

– Attention, les gars! nous avertit Maxim en plongeant au sol.

Nous guettons la voie.

Rien pour le moment.

Les rires s'intensifient.

Les jumeaux!

Les bruits provenant de la cour il y a une minute, était-ce eux?

– Va chier! rigole le plus petit en donnant une bine sur l'épaule de son frère.

Ce dernier ramasse une branche de cèdre tombée au sol et lui fouette le visage. Les deux se pourchassent en ricanant en plein milieu de la voie. Un ronronnement de moteur interrompt leur jeu du chat et de la souris.

Une voiture face à eux. Nous n'en distinguons que les phares. Les vauriens libèrent le chemin et accourent vers leur entrée, hors de notre vue.

L'auto ralentit devant nous.

Shit!

Impossible d'identifier les personnes à bord ni de reconnaître le modèle et la couleur du véhicule. Nous ont-ils vus ou quoi?

Le char disparaît de mon champ de vision, mais demeure tout près.

Le moteur s'éteint.

Des portières claquent.

Je rampe jusqu'au coin de la fondation en ciment et jette un œil en prenant soin de garder ma couverture. Je me sens comme dans *Call of Duty*, à l'exception que mes terroristes ne sont pas armés de Kalachnikov.

Gisèle et Gérard !

Ils se penchent dans le coffre arrière et réapparaissent les mains pleines. Ils ont du culot : elle tient une imprimante, et lui, un Mac.

Ils étaient partis voler dans un quartier différent, les écœurants. Avoir su, j'aurais défoncé leur vitre avec la robe de chambre de Tristan pour camoufler le fracas. Une fois tous les morceaux de verre enlevés, j'aurais pu me glisser à l'intérieur aisément.

Je m'en veux. Il était de mon devoir de remarquer le stationnement désert en sortant du sous-sol. Un énième devoir pas fait. Cependant, un des deux aurait pu quitter et l'autre, rester à la maison. Pour publier des annonces supplémentaires sur Kijiji.

Ils discutent dans l'allée menant à l'entrée. L'ambiance n'est pas aux réjouissances.

Mon cœur bat si fort que les mots se perdent dans la nature. À ma défense, ils ne crient pas à tue-tête. Ils parlent comme des gens conscients que leurs voisins dorment. Des escrocs discrets.

Ils ignorent que leurs trois pires ennemis sont loin des bras de Morphée, qu'ils sont même très proches, prêts à lancer une grenade et à faire exploser leur commerce clandestin qui a assez duré.

Je prends une profonde inspiration, retiens mon souffle, tends l'oreille et me concentre.

– J'aurais pas dû accepter, c'était une mauvaise idée, dit Gisèle sur un ton irrité.

– Dans deux jours, tout ça va être fini, tu vas être ben contente, réplique Gérard.

– En attendant, ça me stresse.

Je me tourne vers mes amis pour voir s'ils ont compris la même chose que moi. Leurs yeux ronds me font deviner que oui.

Dès que la porte de la maison se referme, je compte dans ma tête jusqu'à cinquante, le temps que Gisèle et Gérard enlèvent leurs chaussures et quittent le vestibule.

Un, deux, trois...

Pas besoin d'annoncer à mes complices la suite. Nous devons regagner nos quartiers. Il ne sert à rien de traîner ici.

Sept, huit, neuf...

De quoi pouvaient-ils bien parler? Qu'est-ce qui sera fini dans deux jours? Ils auront vendu tout leur stock volé durant la fin de semaine?

Ça doit être ça. Il faut que ce soit ça. Les gens travaillent du lundi au vendredi, mais une fois le congé de deux jours arrivé, ils magasinent pour dépenser tout ce qu'ils ont empoché. Plus de clients foutent le bordel chez Toys «R» Us le samedi après-midi que le mardi en matinée. Même principe pour les petites annonces.

Sans ralentir, une seconde voiture passe dans la rue et ne nous porte aucune attention. Seul un coup d'œil sur le côté permettrait de nous apercevoir. Au nombre de chats errants suicidaires dans le quartier, les automobilistes se concentrent sur la route.

Vingt, vingt et un…

– Ça me rend nerveux tout ça, susurre Tristan, dont le souffle me chatouille la nuque.

– Moi aussi, ajoute Maxim. Mais on est près d'avoir élucidé le mys…

Elle sursaute sans terminer sa phrase.

– Regardez, dit-elle en me tapant sur l'épaule comme une personne qui se rend compte qu'un scorpion nage dans son bol de céréales.

De la clarté provenant de la pièce secrète.

Sans nous consulter, nous nous empoignons les bras pour dissiper la peur.

Le couple s'y trouve. À moins que ce ne soit qu'un des deux…

Je m'approche en prenant soin de déposer mes genoux délicatement sur le sol et ainsi éviter de provoquer un tremblement de terre ou une avalanche.

Je me colle le nez contre la vitre et tente de zieuter à travers le tissu. Des rideaux gris que l'on tire de chaque côté vers le centre, comme ceux d'une salle de théâtre, bloquent tout rayon lumineux. S'il s'agissait d'un store horizontal, je pourrais voir entre les lattes ou à travers les trous étroits où passent les cordes. Ces rideaux sont aussi opaques que du carton.

Deux silhouettes et une conversation étouffée. Je me tourne la tête et appuie l'oreille. J'entends Gisèle.

Elle n'a pas l'air heureuse, mais je ne distingue aucune syllabe, elle parle une langue étrangère dans une boîte de conserve. Elle pourrait autant se plaindre du service lent au restaurant que de son ras-le-bol de la bicyclette qui encombre le sous-sol.

KLANG!!!!

Un fracas.

Par réflexe, je recule.

– ÇA VA FAIRE! hurle Gisèle.

Nous sursautons, le visage aussi blême que la robe de chambre de Tristan. A-t-elle lancé une assiette? Cassé un verre? Balancé l'ordinateur?

Chicane intense à l'intérieur. Plutôt la guerre. L'engueulade traverse les murs.

– C'EST ÇA, VA TE COUCHER! crie Gérard après quelques échanges musclés.

Puis le silence.

Nous nous rapprochons de la fenêtre. Nos trois têtes couvrent la largeur du châssis.

– Vous croyez qu'ils sont fâchés contre nous? murmure Tristan.

– On s'en fout, ils ont volé ton vélo, que je lui rétorque.

– Leur vol de ce soir a mal tourné, affirme Maxim.

La lumière reste allumée. Je ne quitte pas des yeux la silhouette de Gérard. Gisèle doit être partie bouder dans son lit. Dans quelques minutes, il la rejoindra sans lui adresser la parole et ils s'endormiront frustrés chacun de leur côté du lit. Demain, les conversations se limiteront à « Oublie pas de sortir le sac à vidanges » et « À soir, on mange des restants ». Et dans deux jours, tout sera revenu à la normale, jusqu'à la prochaine chicane. C'était toujours comme ça avec mes parents. Jusqu'à leur séparation.

– Qu'est-ce qu'il fout ? s'énerve Maxim.

Je sais pas.

Nous restons ainsi quelques minutes à observer le voile gris. Mon cœur poursuit son solo de torpeur.

Déguerpissez, ça va mal finir.

Cet après-midi, pendant que Tristan et moi essayions de forcer la porte du sous-sol, Maxim était allée s'excuser. Elle avait prétendu que je m'étais fait disputer le matin, que j'étais d'une humeur misérable et que je regrettais. Le monsieur lui avait fait remarquer que, si je m'en voulais à ce point, je n'avais qu'à demander pardon en personne, sans intermédiaire, comme un homme.

Oh !

La silhouette a disparu.

Gérard a-t-il sacré son camp en oubliant la lampe allumée ? Possible, ma mère souffre de cette maladie. Elle sauverait des centaines de dollars en électricité si elle éteignait les lumières lorsqu'elle quitte une pièce. Et avec les économies, elle pourrait remplacer le foie par du filet mignon.

Le local replonge dans la noirceur.

– Il s'en va, chuchote Tristan en s'agitant.

Merci pour l'info.

Envoûtés, nous fixons la pénombre. Dans l'espoir que les lumières se rallument. Qu'il se parle seul. Que la fenêtre se dissolve dans l'air.

Les rideaux s'ouvrent d'un coup.

Mon cœur cesse de battre.

À moins de dix centimètres du nôtre, le visage menaçant de Gérard apparaît.

Et nous dévisage.

Chapitre 17

Le cabanon qui fait non

Je bondis sur place comme on retire sa main du rond brûlant d'une cuisinière et me retrouve sur le derrière par-dessus Tristan. Je me relève en déséquilibre, lui piétine le dos et décolle en cinquième vitesse. Je traverse la rue sans regarder à gauche ni à dr…

TÛÛÛÛÛÛÛÛÛÛÛÛÛÛÛÛTTTTTT!!!!!!!!!!!!!!

Une voiture freine et s'arrête à quelques centimètres de moi. Un klaxon me déchire les tympans. Je me tourne. Le conducteur en colère baisse sa vitre et extirpe sa tête.

– ES-TU MALADE, GRAND TATA?!!

Oui.

En hiver, avec une chaussée glissante, le pare-choc m'aurait arraché les jambes. J'aurais basculé sur le côté, et mon crâne aurait fini écrapouti sur le capot ou le pare-brise. Commotion cérébrale et hémorragie interne. Une mort instantanée.

Mes amis me dépassent à la course. Je les rejoins sans répondre au monsieur. Il ne sert à rien de m'obstiner, il a raison. Je me fous de lui avoir causé une frousse, j'essaie de fuir un homme dangereux dont j'ignore les intentions exactes.

Derrière nous, le moteur accélère et l'auto disparaît.

– Bordel, c'est barré, dit Tristan en se penchant près de la fenêtre du sous-sol.

– Qui l'a refermée ? que je demande en constatant que nous avons rendu impossible notre retour.

– C'est toi le dernier qui est sorti, m'attaque Maxim.

Aurais-je pu être assez stupide pour la refermer ? Il n'y a pas de poigne de l'extérieur, il aurait fallu que j'utilise mes ongles, je m'en souviendrais.

– Tristan, pourquoi t'as fait ça ?

– C'est pas moi !

La lumière du perron de Gérard s'allume. Je tire mes amis par le bras vers la gauche. À la haie, nous bifurquons à droite et courons jusqu'au fond de la cour par l'allée où Marcel a uriné sur le visage de Tristan pour mettre un peu de couleur dans sa journée.

Nous arrêtons notre course à la frontière de cèdres, derrière une pousse de lilas que ma mère a plantée au printemps. Si la situation le demande, nous pourrons traverser sur le terrain arrière, celui des Éthier. Avec cette noirceur, il nous sera facile de nous camoufler. Gérard n'a pas la forme pour nous poursuivre.

Mais il a un char.

– Est-ce qu'il nous a reconnus ? s'affole Tristan.

– Toi, l'as-tu reconnu ? que je lui réplique.

– Si.

Si quoi ?

– Dis-toi que c'est pareil pour lui. Il sait en christie que c'est nous autres.

– Qu'est-ce qu'on fait? demande Maxim.

Que faire? Voilà la question existentielle pour laquelle je n'ai pas de réponse. Surtout qu'aucun choix A-B-C-D ne nous est offert.

Nous reprenons notre souffle. Que dix secondes de course, mais l'activité physique mélangée à une surdose de stress donne l'impression d'avoir sprinté sur cinq cents mètres.

– On peut pas rester ici, nous fait remarquer Maxim.

Elle a raison. Côté camouflage, ce bonzaï frôle le rendement des branches de cèdre autour de la taille de Tristan. Dès que notre prédateur mettra le pied à l'arrière, il repérera la crème du biscuit Oreo.

J'examine autour de moi. Il fait sombre et nous sommes embarrés. Nos options sont loin de dépasser le nombre de possibilités dans un menu de restaurant.

J'ordonne à mes amis d'attendre.

Je marche accroupi jusqu'à l'autre coin de la maison, côté asphalté, aux abords du capot de notre Toyota Tercel verte stationnée. À travers le pare-brise, j'aperçois Gérard, dans son entrée, porte entrouverte, examinant de droite à gauche, puis de gauche à droite comme un gicleur pour la pelouse.

Il vous cherche.

Je me tourne et leur fais signe qu'il est là. Mes simagrées sont indécodables, les deux lèvent les épaules, l'air de dire : «qu'est-ce que tu dis ?»

Les yeux de Gérard ralentissent et stoppent sur moi. L'affolement me secoue.

Baisse-toi !

Non.

Peut-il me voir ? Avec si peu de lampadaires, même un hibou peinerait à me repérer. Ne pas remuer le gros orteil. Une ombre mouvante, c'est tout ce qu'il lui faut pour confirmer ses doutes. De loin comme ça, fixe, je peux être n'importe quoi. Je me confonds dans le paysage. Et un paysage ne bouge pas.

Maxim et Tristan s'approchent de moi et s'accroupissent derrière le mur de brique à gauche de la porte-patio.

Je reste immobile.

Longtemps.

Des crampes s'invitent dans mes jambes.

Bouge pas.

Pourquoi ne rentre-t-il pas chez lui ? Mes cuisses n'en peuvent plus. J'appuie mon poids sur le capot comme si je m'étendais sur une douzaine d'œufs en essayant de ne pas les casser.

Gérard abandonne son entrée et s'avance jusqu'au trottoir.

Qu'est-ce que tu fous ?

Il porte ses vêtements. Nu-pieds ou en boxers, je me serais attendu à ce qu'il rebrousse chemin. Mais avec cette tenue, il a toute la nuit pour nous retrouver. Et nous tuer.

Va te coucher, Gérard.

Il traverse la rue.

Il t'a repéré!

Je me penche.

– Il s'en vient, que je murmure entre les dents.

Tristan me regarde, pétrifié. À ses yeux, c'est plutôt la mort qui s'en vient.

– Faut se cacher, dit Maxim.

Où?

Si Tristan portait autre chose qu'une nappe phosphorescente, mes espoirs qu'on s'en sorte avec une partie de cachette gonfleraient. Même si nous courons aux quatre coins de la ville, il reste que nous devrons revenir ici tôt ou tard. Et on peut compter sur lui pour nous attendre. Patiemment.

Le cabanon.

Il se trouve à une dizaine de mètres. Gérard n'ira certainement pas fouiller dedans.

Vous êtes trois, attaquez-le.

À la hâte, je dresse un inventaire mental de ce qui pourrait nous servir d'arme: un bâton de hockey pour lui sacrer un *slap shot* dans les bonbons, un taille-bordure pour lui gruger les tibias et quoi d'autre? Un bordel quasi pire que ma chambre. Je n'y dénicherai rien d'intéressant sans lumière.

Je pointe la remise. Maxim acquiesce, saisit l'épaule de Tristan et se précipite à l'abri. Elle ouvre la porte sans brouhaha et les deux s'y faufilent. Je m'y réfugie à mon tour.

Une odeur d'herbe coupée fermentée me saute au nez. Des galettes verdâtres doivent moisir dans le réceptacle de la tondeuse. Je suffoque.

S'il fait sombre dehors, l'obscurité totale règne à l'intérieur. Mes pupilles tardent à s'adapter.

– Il a traversé la rue? s'informe Maxim.

– Oui.

– Il va sonner chez toi, nous alerte Tristan. On est cuits!

– Pourquoi il ferait ça? demande-t-elle. Il sait qu'on est au courant à propos des vols. Ou qu'on se doute de quelque chose. Sinon, pourquoi est-ce qu'on serait allés scèner chez lui?

À tâtons, j'examine un des murs. Une rangée de clous permet d'accrocher un paquet d'outils qui rouillent au gré des saisons. Je saisis une pelle et la tends à Tristan.

– Pourquoi tu veux creuser?

– C'est pour te défendre, toto.

– Ah non, moi, je suis contre la violence.

– Ouin, mais pas lui.

Juste à côté, un taille-haie. Si ces lames coupent une branche en un clin d'œil, elles causeront des ravages sur un ti-clin. Je les donne à Maxim. Elle lui tranchera ce qu'elle désire.

– On va pas vraiment l'attaquer? essaie-t-elle de se convaincre.

J'espère que non.

Tu sais pas te battre, Bine, t'es un gros pissou.

Aucune arme près de moi à part un balai à feuilles édenté. Afin d'étendre mes recherches, j'effectue un pas de côté et me bute contre la tondeuse. Je vacille et me retiens sur le guidon du vélo de ma mère suspendu au plafond par les roues. L'objet, qui n'a pas servi depuis l'invention de l'ordinateur, décroche des deux clous plantés dans une solive.

Disposant d'une fraction de seconde pour réagir, je tente de le rattraper au vol. La selle tombe sur la caboche de Tristan et l'assomme. La bécane bascule sur le côté et une pédale me heurte la colonne.

Ayoye!!!!

La bicyclette en équilibre sur mon dos, la tête et le corps penché vers l'avant, les bras en diagonale, je ressemble à un épouvantail.

J'aperçois du coin de l'œil Tristan, à genoux, se frotter le ciboulot à deux mains. Il gémit.

– Je tiens une roue, chuchote Maxim alors que je me sens délivré d'un poids.

Je pivote la main droite et saisis le second pneu. De la gauche, j'empoigne le cadre.

– OK, lève.

Elle s'exécute. D'un geste coordonné, nous redressons le vélo et le déposons à l'endroit contre le barbecue.

Une odeur de pet chaud vient me tourmenter les narines.

C'est pas le temps de se lâcher!

Aucun vent pour dissiper ce parfum de vidanges qui supplante celui d'herbe fermentée. Je me bouche le nez et dévisage Tristan.

– Maudit cochon, dis-je avec une voix de canard.

– C'est pas moi, je vous jure, peste celui qui nous empeste. Je croyais que c'était toi.

– Taisez-vous, ordonne Maxim.

Il faut sortir. Ce n'est pas Gérard qui nous tuera, mais ces bombes puantes. Il ne pouvait pas se retenir?

Je m'enfouis le nez dans mon t-shirt et scrute l'arrière de la maison par la minifenêtre. L'allée où repose la Tercel demeure invisible de cet angle.

– Qu'est-ce que tu vois? demande Maxim.

– Rien.

– Il est reparti, hein? insiste Tristan.

– On dirait.

– Fiou! Écoutez, j'ai quelque chose à vous dire...

– Chut, c'est pas le temps, le coupe Maxim.

À mes pieds, un chatouillement. Je baisse le regard. Mon ballon de basketball. Il n'a pas bougé tout seul pour rien, le destin m'envoie un signe.

Sans arme alternative, je m'en empare. Un ballon peut créer une diversion. Si je le lance à notre assaillant, il l'attrapera. Le moment sera venu pour Tristan de lui balancer un coup de pelle sur le pif et Maxim, de lui tailler les oreilles. Ensuite, la police nous félicitera du coup de pouce.

J'ouvre la porte de bois en douceur. Les pentures grincent. Si je portais un fusil, je le pointerais devant moi, pour montrer à mon ennemi que je ne compte pas rigoler, mais je suis coincé avec un Spalding à moitié dégonflé.

Je m'attends à ce qu'un fantôme surgisse d'un instant à l'autre.

Aucun mouvement.

J'avance à pas feutrés vers la maison. Maxim tient le taille-haie, lames écartées, prêtes à trancher. Ses vêtements funèbres lui donnent un look de désaxée. Si je ne la connaissais pas et que je la croisais en pleine nuit, je changerais de trottoir.

Tristan tient sa pelle comme une hache, le museau contracté, en loup enragé. Ses tentatives d'intimidation sont anéanties par sa jaquette tout ouverte.

Je me plaque contre le mur de brique, dos à la rue. Mes amis s'entassent à ma gauche, aux abords de la porte-patio. Je penche la tête et m'arrête au nez. Seuls mon front et mes cheveux peuvent me trahir.

Mon sang se glace.

Il est là, au bord de mon entrée. Il regarde ailleurs. Je reviens à ma position.

Bruit de semelle qui frotte sur l'asphalte.

– Allô ? Il y a quelqu'un ? demande Gérard.

Shit !

Je suis convaincu qu'il ne m'a pas vu. Il ne faut pas.

Il t'a vu du coin de l'œil...

Dans son angle mort.

T'es mort.

Je ne l'entends plus bouger. Je l'imagine en train de balayer le terrain, à la recherche du moindre mouvement.

Reste là, viens pas ici.

Je ferme les yeux. Mes amis n'existent plus, je n'ai d'œil que pour ma survie.

Prépare ton ballon.

Des pas s'éloignent.

J'observe à nouveau.

Il traverse la rue.

Fais-toi frapper!

Je rampe jusqu'à la voiture pour me donner un meilleur angle de vue. Il pousse la porte de sa demeure, scrute une dernière fois dans ma direction, puis rentre chez lui.

Les lumières extérieures s'éteignent.

J'inspire. J'ai l'impression que j'avais cessé de respirer cinq minutes plus tôt, que l'œil d'une tornade me gardait prisonnier.

Nous nous écrasons et laissons tomber nos armes de destruction massive.

– Ouf, j'ai eu peur, souffle Tristan, heureux de s'être débarrassé de sa pelle.

– Il a du culot de nous avoir suivis jusqu'ici, note Maxim.

– C'était pour nous intimider, que je leur fais observer. Du genre, dites rien sinon vous savez ce qui vous attend.

– Moi, j'en ai marre de cette histoire.

Je tente d'ouvrir la porte-patio. Comme prévu, elle est barrée. Ma mère la verrouille toujours avant d'aller se coucher. À son avis, le contraire serait une invitation officielle au braquage à domicile. Ces loquets rudimentaires sont une farce à défoncer pour des voleurs motivés, mais bon, ça leur donnerait un peu de trouble, et le bruit risquerait de nous éveiller. Et nous ferions quoi au juste pour nous défendre? Leur lancer des crayons de couleur? Leur enfoncer une spatule dans la clavicule?

L'objectif de retourner au sous-sol se complique. Hors de question de nous essayer par la porte avant. Gérard est collé aux carreaux et attend qu'on se pointe le nez pour nous coller des baffes. S'il faut, nous dormirons dans le cabanon entre le barbecue et le vélo, la tondeuse en guise d'oreiller.

De toute façon, la porte principale est verrouillée à double tour, je gagerais mes deux reins là-dessus. Ma mère la barrait même le jour quand mon père habitait avec nous. J'avoue qu'il inspire autant la crainte que Jeannot Lapin.

Je remarque que seul le moustiquaire bloque l'entrée de la fenêtre de la cuisine, à un mètre à droite de la fin du perron. Jojo Lapine la laisse ouverte pour inviter l'air à rafraîchir nos nuits. Pour y avoir accès, un cambrioleur devrait utiliser une échelle. Et les zoufs qui trimballent des escabeaux se font aussi rares que les millionnaires chez Dollarama. Impossible pour un bandit de s'y glisser, à moins de prendre un élan du perron, de sauter et de s'agripper sur le rebord sous le châssis. Une cascade inenvisageable. Même dans un film d'action, le spectateur décrocherait.

Je leur montre notre porte de sortie... qui se trouve à être notre porte d'entrée.

– Comment veux-tu qu'on monte là-haut? rouspète Maxim.

– Oubliez-moi, mon talon me fait souffrir.

J'ai un plan. Heureusement que je suis là.

– Suivez-moi.

Nous retournons au cabanon. J'ouvre la lumière. Nous rangeons nos armes. Ni escabeau ni échelle, ç'aurait été trop facile.

Je tasse la bicyclette et saisis le barbecue, une deuxième relique qui ne sert jamais. Plus aucune toile ne le protège, la dernière avait séché au soleil et s'écaillait. Ma mère craint les bonbonnes de propane, terrorisée à l'idée que ça lui explose au visage. C'était mon père, Bob le chef, le calcineur officiel des steaks.

– Si on le met sous la fenêtre, on va pouvoir grimper dessus chacun notre tour.

– Je peux pas, proteste Tristan. Je souffre de vertiges aigus.

– Voyons, le barbecue fait à peine un mètre de haut.

– Mais pas la fenêtre! Et vous pouvez pas comprendre, je suis acrophobe.

– C'est quoi le rapport des araignées? demande Maxim.

– Non, c'est la phobie des hauteurs. J'ai été diagnostiqué. Et je suis aussi arachnophobe, vous saurez.

– Toi pis tes maladies ! soupire-t-elle.

– As-tu un meilleur plan, maudit pissou ? dis-je pour le défier.

– Appelons la police. On n'a qu'à raconter la vérité.

– Ils en ont rien à foutre de ton vélo. Ils vont cogner chez le bonhomme et il va dire « ben non, j'ai pas volé son vélo, mais eux nous harcèlent ». C'est ça qui va arriver. Ça va nous retomber sur le nez comme d'habitude. À cause de toi.

– Moi ? Mais j'ai rien fait.

– Justement.

Maxim se faufile à travers les obstacles et tente de soulever le barbecue par la tablette servant à déposer assiettes, ustensiles, sauces et épices durant la cuisson.

– C'est donc ben pesant.

– Les roues sont brisées, on pourra pas le rouler.

Comme je suis le plus fort des trois, j'invite Tristan à prendre le même bout que Maxim.

– C'est comme du portage, lui dis-je.

– Tu veux qu'on le transporte sur nos épaules ?

– Non, j'ai pensé qu'on pourrait le trimballer sur notre dos à quatre pattes comme on avait fait pour Sirocco.

– C'est pas le moment de rigoler, bordel.

Le signal donné, nous le décollons du sol. Au cadre de porte, nous le levons plus haut pour ne pas accrocher le rebord.

Une seconde bombe puante m'achève.

– Christie que tu pues ! que je balance à Tristan. Tu devrais péter dans l'entrée de Gérard et Gisèle, ça les endormirait.

– C'est pas moi, menteur, c'est toi !

– Chut ! implore Maxim.

Eux avancent dans le gazon, moi, je recule. Je me contorsionne le cou pour voir où nous mettons les pieds. Si un objet traîne sur le terrain, une épingle à linge ou un bout de corde, c'est sûr que notre gaffeur va s'enfarger. Un barbecue en taule muni d'une bonbonne rouillée est un instrument à percussion qu'il vaut mieux ne pas échapper. Déjà que Tristan nous gâte avec son instrument à vent.

Nous plaquons le barbecue contre le mur sous la fenêtre.

– J'ai une meilleure idée, dit Maxim. Si je grimpe en premier, je vais pouvoir vous ouvrir la porte-patio après.

– Parfait, dis-je tout bas.

– Ouais, c'est vachement mieux.

Je m'accroupis et fais la courte échelle à Maxim. Dès qu'elle se tient en équilibre sur le couvercle, Tristan et moi clouons le barbecue en place.

Elle s'étire les bras et d'une main, glisse le moustiquaire vers la droite. Elle s'agrippe et se soulève. Ses pieds poussent contre la brique. De l'escalade nocturne bon marché.

Elle se met à genoux sur le châssis. Ensuite, je l'imagine déposer un pied au bord du lavabo, puis le deuxième. Elle disparaît.

Quelques instants plus tard, un cliquetis, puis la porte-patio s'ouvre à la vitesse d'une tortue bénéficiant d'un mois de vacances devant elle. Tristan et moi nous engouffrons à l'intérieur.

Tout est sombre. Aucune lumière, à l'exception de celles au sous-sol dont nous ne discernons que les lueurs.

Des pas.

Une clenche de porte.

Nous figeons tels les cheveux d'un enfant qui enfonce son doigt dans une prise électrique.

Ma mère.

Je fais signe à mes amis de contourner la table à manger sur le bout des pieds et de nous cacher à la cuisine. Elle n'a qu'une envie de pipi. La salle de bains est juxtaposée à la cuisine, mais les deux ne communiquent que par le corridor.

Nous nous tenons droits devant le four et retenons notre souffle.

– Qu'est-ce que vous faites là ? demande une voix assoupie.

Nous sursautons. Tristan en perd sa ceinture.

– Bon, dis-je en ouvrant le frigo, le voilà votre jus de canneberges !

Je fais semblant de rien.

– Ah salut, est-ce qu'on t'a réveillée?

– J'ai entendu du bruit, je me demandais c'était quoi. On aurait dit que quelqu'un cognait sur du métal. Qu'est-ce que vous faites habillés de même?

Je m'arrête et réalise que Maxim et moi portons nos habits de camouflage. On est loin du pyjama party.

– On jouait à la cachette dans le noir au sous-sol pis là, on avait soif.

– Vous êtes motivés!

Elle enregistre l'heure sur le micro-ondes.

– Il est passé onze heures, faudrait vous coucher si vous voulez pas être brûlés demain.

Son attention se jette sur Tristan.

– Je sais pas où tu t'es caché, mais ta robe de chambre est toute sale.

Il analyse l'état lamentable de sa jaquette, ouvre la bouche et sourit. Il cherche quelque chose à ajouter pour se sortir de l'impasse. Je remarque qu'un de ses sourcils a des spasmes.

– Ah ouais, hein, hein. C'est que, vous savez, c'est pas très propre ici!

Chapitre 18

La spirale infernale des mensonges

– Où t'as pogné ça? postillonne ma mère en me brandissant sa brassière que j'ai retrouvée.

Quelques particules de salive au café atterrissent sur ma joue. J'avale ma bouchée de toast de travers sans m'essuyer. Tristan et Maxim font la statue et me regardent la bouche semi-entrouverte.

Mes amis et moi étions en train de déjeuner avant que l'ouragan Jojo, partie au sous-sol, revienne en trombe déverser sa tempête. Nous nous préparions mentalement à consacrer la journée à la suite de notre enquête. La veille, fort de nos émotions, nous nous étions couchés, incapables de déterminer la prochaine étape.

Je me racle la gorge obstruée par du beurre de pinottes devenu tout d'un coup épais comme la fourrure de l'ourson sur le pot. Pourquoi le repas a-t-il pris un tournant dramatique? Que sait-elle? Les mères ont la drôle de manie de poser des questions dont elles connaissent les réponses, pour le simple plaisir de nous coincer. Est-elle en train de me tendre un piège? Je tente ma chance.

– Dans les cèdres, je te l'ai dit.

Je ne l'ai jamais vue flipper de la sorte. Elle était d'une humeur agréable il n'y a pas plus d'une minute, que s'est-il passé entre la cuisine et la salle de lavage?

Elle capote parce qu'elle te croit zéro.

Elle étire le bout de tissu beige à cinq centimètres de mes yeux.

– Imagine-toi donc qu'elle est trop petite. C'est pas la mienne. Je porte du 36B.

Une partie de mon cerveau signale une alerte, mais la majorité de mes cellules sont encore assoupies. Il est encore trop tôt pour être dans le trouble. C'est comme frapper du sable mouvant lors de la première journée d'une expédition dans le Sahara.

Insistant, mon mode «Panique» embarque. 36B ressemble plus à une note en français qu'à une taille de sous-vêtements. Qu'est-ce que je dis?

– Elle a dû rapetisser au lavage.

Elle met ses poings sur les hanches, indice qu'elle ne me croit pas une miette. Elle me dévisage comme si j'étais un sac de poubelles dont la carcasse de poulet à l'intérieur empeste depuis des jours.

– Je la nettoie toujours à la main dans le lavabo et je la fais sécher à l'air libre. C'est impossible qu'elle rapetisse. Pis tu peux arrêter tes menteries, c'est pas le même modèle. J'avais pas remarqué hier, mais ça saute aux yeux.

Pourtant, elle est beige.

La toast au Nutella de Tristan tombe dans son assiette. Maxim dépose son verre. Une mince moustache laiteuse forme un duvet sous son nez. Leur regard oscille entre ma mère et moi. Du coin de l'œil, je devine qu'ils se posent dix mille questions, mais qu'ils désireraient être n'importe où sauf ici.

La voisine d'en face aurait donc piqué la brassière, mais je n'aurais pas retrouvé la bonne? Quelles sont les chances? Est-ce plausible?

Elle a juste volé le vélo de Tristan. Allume!

Ai-je sauté aux conclusions trop vite? Il me semblait bien que Gisèle et Gérard ne kidnapperaient pas un banal morceau de vêtement. Je le savais depuis le début que c'était ridicule. Pourquoi ai-je cru les délires de ma mère?

C'est de ta faute, m'man.

Ce crétin de soutien-gorge se cache quelque part dans la maison. Ou dehors. Une inspection sous le perron s'impose. Après tout, il se pourrait que je sois un devin et que le vent l'ait décroché de la corde. L'invention des pinces à linge en bois date du Moyen Âge, elles ne sont pas infaillibles.

– J'attends la vérité.

Tu vas attendre longtemps.

Son visage rouge crée l'illusion qu'elle sort d'un sauna. Mais pas la broue blanchâtre sur le coin de sa bouche. Mon cœur pompe trop vite pour que je puisse me concentrer. J'ai l'impression de tourner les pages du dictionnaire et de chercher des mots au hasard sans y parvenir.

– Je l'ai achetée pour te faire un cadeau, mais je voulais pas te le dire.

Elle ne me laisse pas le temps de mesurer le degré d'absurdité de ce que je viens de débiter.

– Essaie-toi pas, elle a été portée plusieurs fois, ça paraît.

– On l'a trouvée sur Kijiji, va voir sur mon ordi, le site est encore là.

Elle rit avec sarcasme puis inspire, se préparant à plonger au fond de l'océan Atlantique pour inspecter l'épave du *Titanic*.

– Me prends-tu pour une épaisse?

Mon réservoir à mensonges vide, je ne sais plus quoi inventer.

– Dis-lui la vérité, murmure Maxim sans trop de conviction.

– Écoute ton amie, tu vas te sauver de l'énergie.

J'y songe un instant, puis me ravise.

– Je l'ai piquée chez Tristan.

– Quoi? sursaute l'intéressé, du Nutella sur le bout du nez.

J'aperçois Maxim bouger le bras sous la table et devine qu'elle lui met une main sur la cuisse afin qu'il se taise. Pourvu qu'il comprenne le message. Sur ma chaise, je me tourne vers lui.

– Hier, quand on jouait chez toi, je suis allé fouiller dans la chambre de ta mère pendant que t'étais aux toilettes. Il y en avait un tiroir plein. J'en ai pris une.

– TU AS VOLÉ ? hurle l'hystérique.

J'avale mes trois molécules de salive restantes, dont la formule chimique est $Honte_2O$.

– Euh... C'est pas grave, on va la lui redonner, balbutie le petit renne au nez brun.

– Pas grave ? C'est ce que vous pensez ? Écoutez-moi bien : c'est TRÈS grave !!!

Si elle savait que je ne l'avais ni achetée ni trouvée par hasard dans les cèdres, pourquoi joue-t-elle la madame estomaquée ? Quelle pouvait être la vérité sinon un vol ? Que je lui en avais cousu une ? Que Luc Langevin s'en était sorti une de son oreille et me l'avait laissée en souvenir ?

– Je voulais juste t'aider, que je lui dis en essayant de me donner un air compatissant.

J'ignore où je m'en vais avec mon bateau, mais je dois garder le cap. Je ne peux plus changer d'histoire, j'ai usé la carte de la girouette. Un sombre pressentiment flotte en moi, me prévenant que je terminerai ce périple auprès du *Titanic*.

Elle assène une tape sur la table et me réveille de ma torpeur.

– M'aider en volant, c'est-tu ça que je t'ai appris ? Hein, c'est-tu ça ? C'est-tu ça ? C'EST-TU ÇA ?

À chacun de ses points d'interrogation, elle a approché son visage du mien, de plus en plus menaçante. Sa violence m'aveugle. Je ne vois plus mes amis. Devant moi, un long tunnel déploie toute sa noirceur. La lumière au bout est obstruée par une frustrée qui n'a pas l'intention de céder le passage. Si je lui demande de répéter la question, elle va m'enfoncer la brassière dans le fond du gosier.

– Je vais m'excuser à sa mère.

– Certainement et je veux être là.

– Tu vas m'accompagner?

– Es-tu malade? Je suis même pas maquillée. Pis j'ai trop honte. Tu t'arranges avec tes troubles. Tu vas l'appeler d'ici et après, tu traverseras la rue lui remettre comme un grand.

T'es dans la merde.

Mes mensonges se compliquent, alors qu'ils ont pour but de nous simplifier la vie. Belles promesses non tenues.

Qu'est-ce que la mère de Tristan répondra lorsque je lui demanderai pardon? Confusion totale. Elle me prendra pour un taré. Appeler une femme pour me repentir de lui avoir volé une brassière, alors que la vérité est mille fois plus insolite, je n'aurais pas pu inventer un scénario aussi loufoque.

– Je sais que t'as pas beaucoup d'argent, je pensais bien faire.

– Pas d'argent, pas d'argent... Je suis capable de me payer une brassière, calvince!

La voilà beaucoup plus calme. Je laisse passer son écart de langage.

– Surtout si ton père se décide à me verser une pension alimentaire.

Je sursaute. Elle ne m'avait pas parlé de lui depuis belle lurette.

– Il en paye pas une ?

– J'ai rien reçu encore et j'ai pas les moyens de me payer un avocat.

Voilà des mois que Robert s'est sauvé avec sa guédaille. Il m'a appelé quelques fois, à des heures où son ex-femme était absente, mais c'est tout. Nos conversations ont exclusivement tourné autour des succès du Canadien la saison dernière. Nous n'avons jamais discuté de ce que je vis, de l'école, de mes amis ; je ne vois pas pourquoi ça commencerait maintenant qu'il vit à quinze minutes d'ici. Ma mère refuse de lui adresser la parole, elle n'a pas digéré qu'il l'ait trompée avec la secrétaire de mon école. Et son indigestion risque de durer quelques années. Elle limite les échanges à des courriels non cordiaux.

– Il paye pas de pension… Ça va être beau quand va venir le temps de payer l'école privée, hein !

– J'ai pas été accepté.

Ta gueule !

C'est sorti tout seul.

Elle s'arrête net et secoue la tête, espérant avoir mal entendu.

– Qu'est-ce que tu dis ?

Je remarque que Maxim me supplie du regard. Je baisse les yeux.

– On a reçu la réponse hier.

– Elle est où ?

– Qui ça ? que je demande pour m'acheter du temps.

– LA LETTRE !!!!

– Dans mon tiroir à bobettes.

Elle file droit vers ma chambre en cognant du talon (retour de la maman baboune). Mes amis et moi restons figés. À peine si nous respirons. Elle revient avec l'enveloppe et en retire la lettre déchirée en quatre.

– Wow, c'est vraiment super, ça ! grogne-t-elle en étalant les morceaux sur la table. J'avais justement le goût de jouer AU CASSE-TÊTE À MATIN !!!!!

Une fois le puzzle terminé, trente-trois soupirs plus tard, elle lit d'une traite, ses yeux balayant de gauche à droite sans cligner.

– Qu'ils mangent de la colle ! jure-t-elle en chiffonnant les lambeaux.

Ses larmes montent.

Celles de Maxim aussi.

Désolé, je voulais pas vous l'annoncer de même.

Elle balance les débris de la lettre dans notre minibac de recyclage bleu, sous l'évier, à côté de la poubelle et claque l'armoire.

– Là, les copains, je vais vous demander de partir, je dois parler à mon gars, articule-t-elle la mâchoire crispée, en s'essuyant le coin des yeux.

Tristan se lève d'un bond et saisit la brassière que ma mère a laissée sur la table.

– Je vais la rendre à ma mère.

Maxim le suit et ils descendent à la cave chercher leur sac.

– Je vais appeler mes parents de chez toi, Tristan, déclare-t-elle en remontant les escaliers.

Ils disparaissent en pyjama, abandonnant derrière eux leur déjeuner à moitié consommé.

Jojo, à qui son surnom ne va pas bien en ce moment, garde le silence. Les bras croisés, elle paraît loin dans ses pensées.

Assis devant mon assiette, la gorge nouée, mes deux toasts restantes «m'appétissent» autant que mon souper d'hier. Je ne pourrais même pas boire un verre d'eau.

– Pourquoi tu m'as pas dit la vérité? demande-t-elle d'une voix calme, mais ferme.

– À propos de la brassière ou de l'école?

– DE L'ÉCOLE! La brassière, c'est le dernier de mes soucis.

C'était pas le cas, hier, en tout cas.

– Je savais que tu serais fâchée.

– Je suis pas fâchée.

Ah non?

– Je suis déçue, c'est pas pareil. La polyvalente est quasiment dernière.

Elle m'informe que des magazines et journaux dressent la liste des meilleurs et pires établissements d'enseignement du Québec et que ma future école secondaire occupe le rang des Oilers d'Edmonton saison après saison : le fond du classement.

– Si j'avais eu les résultats avant, on serait déménagé.

– Où ?

– Je sais pas. Loin d'ici. Dans une autre ville.

Elle se fout de ma gueule ou quoi ?

– Et mes amis, eux ?

Elle aurait pris cette résolution sans m'en parler ? Heureusement que ces imbéciles de dirigeants ont bretté avant de nous poster leur décision stupide.

– Ça donne rien d'en discuter, ça arrivera pas.

Une chance !

– C'est juste une école, m'man. C'est pas si important.

– Ben oui, toi, tu t'en sacres de ton éducation !

C'est pas ça que je dis.

Je cherche quelque chose pour lui remonter le moral.

– Ils ont une équipe de basket à la poly.

– Je le sais très bien. Pis tes notes vont en manger un coup.

– Ça veut pas di…

– ARRÊTE ! ARRÊTE ! OK ? J'AI PAS ENVIE DE…

Elle éclate en sanglots.

Pourquoi tu pleures ?

Je ne comprends rien. Pourquoi cela la dérange-t-elle tant que j'aille au public ? Une direction, des enseignants, des surveillants, un code de vie, des activités parascolaires. Un voyage aux antipodes d'un camp de vacances.

Fais-lui une accolade.

Je m'approche d'elle et ouvre mes bras.

– Je suis désolé.

Elle met une main pour me freiner.

– On en reparlera tantôt. Là, tu décroches le téléphone et tu appelles la mère de Tristan. Il est où son soutien-gorge ?

Me semblait que c'était le dernier de tes soucis ?

– Tristan l'a rapporté chez lui.

– Je voulais que tu lui donnes en personne !

Trop tard.

Je me rends au comptoir de cuisine et m'empare du sans-fil. Je compose le numéro que je connais par cœur.

La ligne est engagée.

Go !

Il s'agit de notre seul appareil, mon écornifleuse ne peut pas espionner la conversation dans une autre pièce. Mon instinct de survie prend le dessus.

– Bonjour, madame Biancardini, vous allez bien ? (...) Je m'excuse d'avoir volé votre brassière...

– Son nom, c'est Préfontaine. Biancardini, c'est le nom du père. Pis ça paraît que tu lui parles pas pour vrai.

Surpris en flagrant délit, je raccroche.

– Je… je vais rappeler dans deux minutes.

– FAIS DONC ÇA !!!

Se sent-elle obligée de me crier par la tête ? Pas plus tard qu'hier, elle affirmait qu'elle m'aimait et que son rôle parental revenait à prendre soin de moi. J'ai comme l'impression qu'elle a oublié…

Les secondes s'égrainent. Un silence pèse lourd dans la maison. Ma mère ne me lâche pas des yeux.

Fais-toi un autre café, beurre-toi une toast !

J'appuie sur la touche REDIAL, puis sur TALK.

À la deuxième sonnerie, on répond.

– Salut, Bine ! dit Tristan. J'ai reconnu ton numéro sur l'afficheur. Est-ce que ta mère est encore fâchée ?

Je signifie à cette dernière que tout va bien. Elle se doute que je ne lui rejouerai pas le coup de la fausse conversation. Mais elle se trompe. À roche-papier-ciseaux, j'opte souvent pour la même arme deux fois consécutives.

– Bonjour, madame Préfontaine, c'est Benoit-Olivier, l'ami de Tristan.

– Quoi ? Pourquoi tu me dis ça ?

– Je vous appelle parce que j'ai fait une connerie.

– Tu veux parler à ma mère ou quoi ?

Réveille, tata !

– Une grosse bêtise, je devrais plutôt dire. Hier, j'ai volé votre…

– Un instant, Bine, elle est à la cuisine.

Non !

Je l'entends déposer le combiné et crier : « Maman, téléphone ! »

Ma mère gesticule, impatiente que je lui explique ce qui se passe.

– Elle est partie mettre des muffins dans le four, ça bipait, que je lui murmure.

Vouloir vivre un matin cauchemardesque, je choisirais celui-ci sans hésiter. Mon épave a coulé plus creux que le *Titanic*. Je survis toujours, mais pour combien de temps encore ?

– Bonjour ? annonce la véritable madame Préfontaine dans mon oreille.

Misère...

Inutile d'essayer de me calmer, c'est peine perdue. Mes rotules ont perdu contact avec la réalité.

– Donc comme je disais...

– Tristan m'a rien dit. Qu'est-ce que vous manigancez, vous deux ? demande-t-elle avec un fort accent français.

– J'aurais pas dû voler votre brassière, je suis désolé.

– Ma quoi ???

– Votre brassière... Le... Le sous-vêtement, là, pour soutenir vos totons.

– EILLE ! crie ma mère. PARLE COMME DU MONDE !!!

Les mots me viennent pas, je suis nerveux !

Je me sens comme si la pointe d'un fusil m'écrasait la tempe lors d'un braquage de banque et que le forcené me commandait de classer les billets de cent dollars par ordre croissant de numéros de série.

– S'cusez, votre soutien-gorge.

– Vous m'avez piqué un soutien-gorge? Qu'est-ce que c'est que ces balivernes? Je comprends rien. TRISTAN, VIENS ICI TOUT DE SUITE! TRISTAN!!!!!

Elle a oublié que mon oreille, bien que distante physiquement de sa bouche, se trouve en fait à proximité. Au cas où elle n'aurait pas terminé de crier, je recule le combiné pour ne pas souffrir de surdité prématurée.

Je mime à ma mère que la dame au bout du fil est en furie. Elle lève les sourcils, l'air de dire: «Tant pis pour toi». Et vlan la solidarité familiale!

J'entends la voix de Tristan se rapprocher.

– Ton abruti d'ami et toi avez fouillé dans mon tiroir de soutiens-gorge?

– Non, pas du tout.

Je vais lui en faire, moi, un abruti!

Ma mère poursuit ses signes d'impatience. Je couvre le microphone de la main.

– Elle a de la misère avec ses muffins.

– Mais c'est pas à moi, ça, proteste madame Préfontaine. Qu'est-ce que c'est que ces bêtises?

J'imagine que Tristan vient de lui montrer la brassière de la voisine.

– Je sais, c'est à la dame d'à côté, celle qui a volé mon vélo.

– Quel vélo ?

Tata !

Un autre qui s'enfonce.

– Zut, je voulais pas te le dire. Je me suis fait chiper mon vélo.

Je ne peux pas prolonger mon silence, ma mère se doutera que quelque chose cloche. Des muffins, aussi ratés soient-ils, ne peuvent pas causer autant de trouble.

– C'est ça, là, madame Préfontaine, je recommencerai plus.

– Attends, mon garçon me parle.

– Désolé encore, c'était niaiseux de ma part.

– Un instant, j'essaie de comprendre ce que me raconte Tristan.

– C'est promis.

– ÇA SUFFIT ! rugit-elle. Quel vélo ? Quelle voisine ?

– Soyez assurée que ça ne se reproduira plus. Au revoir et bonne journée.

Je raccroche avant qu'elle rouvre la bouche.

Je sens que ça barde de l'autre côté de la rue. J'ignore comment il s'en sortira. Sa grande trappe n'a pas pu se retenir…

– Qu'est-ce qu'elle a dit ? me demande ma mère.

Qu'est-ce que tu voulais qu'elle dise ? Félicitations ? Lâche pas mon boute-en-train ? T'en es-tu servi pour te déguiser en femme ?

– Elle était très fâchée, mais c'est quand même juste une brassière.

– Le vol, ça commence par des brassières pis ça finit par des voitures !

Exagère, donc.

On sonne à la porte.

La mère de Tristan débarque pour exiger des explications. Elle a fait ça vite. Qu'est-ce qu'il lui a raconté ? Je fais ce qu'aucun manchot n'est capable de faire, prendre son courage à deux mains, et ouvre.

La réalité me frappe en pleine face. Je m'attendais tellement à voir un duo français. Gisèle me regarde avec la rage dans les yeux. Ses pupilles ont laissé la place à des épées.

– Toi, tu as quelque chose qui m'appartient et tu me dois des excuses !

Ma mère s'approche derrière moi et pousse un soupir d'exaspération.

– Qu'est-ce qui se passe, madame Beaudoin ?

– Imaginez-vous que votre gars est venu voler chez moi !

Jocelyne se racle la gorge et me serre l'épaule.

– Donc madame Préfontaine, c'était une autre de tes menteries ou bien tu t'amuses à cambrioler chez tout le monde ?

Je me sens comme si j'étais tombé au fond d'un puits et que j'essayais de remonter à la surface. Chaque mensonge me replonge dans l'eau. Elle est sans fin, cette impasssssssssssssssssssssssssssse...

– La mère de Tristan, c'était pas vrai, que j'avoue, embarrassé.

– Il faut avoir du front tout le tour de la tête pour poser le geste que tu as posé, accuse Gisèle en me pointant du doigt.

– Je suis entièrement d'accord avec vous, madame Beaudoin. Je suis très fâchée ce matin.

– Je… Elle est rendue chez Tristan.

– C'est pas un jouet, ça ! Vous êtes donc bien sans cœur, bande de p'tits morveux.

Ma mère lève la main.

– Je suis consciente que vous soyez en colère ; moi aussi, je le suis. Mais je pense qu'on peut discuter sans s'insulter. Tous les jeunes commettent des erreurs. C'est quand bien même juste un soutien-gorge.

Gisèle fronce les sourcils et nous scrute comme si nous étions les derniers des innocents.

– Un soutien-gorge ? Mais de quoi parlez-vous ? Votre gars a piqué l'urne avec les cendres de mon père !

Chapitre 19

Cavale et brassière beige

Une urne.

Avec des cendres.

D'une personne morte.

Qu'est-ce qu'elle raconte? Et de quoi s'agit-il au juste? Si je me fie aux quelques bulletins de nouvelles que j'ai regardés, c'est la boîte dans laquelle les adultes déposent leur vote le soir des élections. Je devine que le père de Gisèle a été incinéré à sa mort et qu'il a été réduit en cendres, mais pourquoi mettre les résidus dans une simple boîte carrée avec une fente sur le dessus?

Comment Gisèle peut-elle avoir le culot de m'accuser d'avoir caché une boîte de votes, alors qu'elle a volé le vélo de Tristan? Croit-elle vraiment qu'on n'a pas vu son petit jeu?

– Benoit-Olivier, qu'est-ce que tu as à dire pour ta défense? demande ma mère sur un ton autoritaire afin de faire bonne figure.

Euh... C'est une folle?

– J'ai pas touché à l'urne, j'ai même pas remarqué qu'il y en avait une.

– Elle était en bas, sur un meuble, là où ton ami s'est changé, et là où vous avez manigancé d'aller fouiller.

– Ah oui, et qu'est-ce qui se trouve dans ce local ?

– Mon atelier de peinture, je te l'ai dit.

– Barré à clé ?

– C'est interdit ? s'offusque-t-elle.

– Stop, stop, stop, stop. Qu'est-ce qui se passe ? intervient ma mère, qui est aussi perdue qu'une otarie à Mexico. Premièrement, qu'est-ce que vous faisiez chez les Beaudoin ?

– Ils sont venus faire du ménage, répond Gisèle à ma place.

– Quoi ? Ben voyons, il en fait même pas ici.

– Semble-t-il qu'ils ont plein de clients sur la rue, mais je me doutais bien que c'était un mensonge. Mais pour vingt dollars, ça me faisait plaisir de les encourager. Et là, le problème, c'est que les cendres de mon père ont disparu.

Ma mère hausse le ton.

– Benoit-Olivier, je te donne dix secondes pour me faire apparaître le vase, sinon ça va aller mal.

Ah parce que c'est la joie en ce moment ?

– Attend un peu.

– TOUT DE SUITE !!!

– Laisse-moi parler deux secondes.

Je décide de lui déballer mon sac. Elle croise les bras.

– Hier matin, Tristan est venu sonner pour m'informer qu'il s'était fait piquer son hybride. Avec ta brassière, ça faisait deux affaires la même nuit.

– On m'a volé mon soutien-gorge sur la corde à linge, justifie-t-elle.

– J'avais figuré, répond sèchement l'autre.

– Comme on soupçonnait les Dupuis, on cherchait une excuse pour fouiller chez eux. Donc, on a créé une compagnie de nettoyage et on est allés pratiquer notre discours de vente chez Gisèle et Gérard. Mais là, à cause de cet imbécile de Tristan, on a été pognés pour faire le ménage pour vrai. Sauf qu'en le faisant, on a découvert que le vélo de Tristan était caché dans une pièce secrète.

Gisèle ricane. Forcé, son numéro de la femme dépassée.

– Vous en avez de l'imagination!

– Ah oui? Et comment vous expliquez que vous êtes revenus à onze heures avec un ordinateur et une imprimante?

– Parce qu'on les a empruntés à mon frère.

– Et pourquoi vous vous chicaniez?

– Mon Dieu, est-ce que vous nous espionniez?

Je n'hésite pas une seconde.

– Oui, on vous surveillait sur le côté de votre maison.

– Benoit-Olivier! Vous étiez censés faire un pyjama party!

– Ce sont des bandits, m'man. Une fois qu'ils sont rentrés, ils sont descendus dans le sous-sol ranger leurs nouveaux objets volés.

Gisèle lève les bras vers le ciel.

– Ah, c'est vous que mon mari a surpris hier soir ! C'est ce qu'il pensait, mais je lui répétais qu'il s'imaginait des histoires. Il avait raison. Vous êtes disparus tellement vite, il n'était pas certain. Il s'est dit que vous jouiez à la cachette ou quelque chose du genre. Il voulait pas vous faire peur, c'est pour ça qu'il est sorti dehors.

– Et pourquoi il a ouvert les rideaux d'un coup, d'abord ?

– Il a vu une ombre bouger, il croyait que c'était un chat errant. On ramasse des crottes partout, il souhaitait le chasser.

Elle a réponse à tout. Elle et son époux ont élaboré leur alibi dans les moindres détails.

– Franchement, Benoit-Olivier, tu vois bien que tu accuses les mauvaises personnes.

– Mais ça, c'est rien. Votre garçon m'a traitée de vieille conne.

– QUOI ?!!!!!

Son cri a l'effet d'un tonnerre. Mon poil de mollet se dresse. Je lève la main afin qu'on me cède la parole.

– C'est parce que je venais de découvrir qu'elle avait volé. Sinon, j'aurais jamais dit ça.

– Là, excuse-toi tout de suite pis redonne l'urne à la dame, on niaise pas avec des affaires de même.

– Je vais m'excuser quand j'aurai la preuve qu'ils cachent pas le vélo. Pis l'urne, je l'ai pas piquée, je sais même pas ça ressemble à quoi.

– Le vase bleu marine avec de l'écriture or. Fais pas semblant.

Et ça me revient. Je me demandais ce dont il s'agissait lorsque je passais la balayeuse. Mais elle fait fausse route, je n'y ai pas touché, même pas pour l'épousseter.

– Je fais pas semblant, qu'est-ce que je ferais avec ça ?

– Peut-être as-tu voulu te venger ?

En effet, nous aurions dû prendre notre revanche. Ça ne m'était pas venu à l'esprit. Notre priorité était de retrouver l'hybride en un morceau.

Gisèle nous invite à visiter son sous-sol pour m'en convaincre une fois pour toutes.

– Je suis pas arrangée, proteste ma mère.

– Je vous attends quand vous êtes prêts, dit notre voisine en s'éloignant.

Jocelyne referme la porte et me dévisage.

– Toi pis tes niaiseries. On a l'air de deux beaux épais !

On ?

On exclut la personne qui parle.

– Je te le jure que c'est eux.

– Pis tu pensais que c'étaient eux qui avaient volé ma brassière aussi.

– On n'a pas de preuve que c'est pas eux.

– S'ils étaient coupables, crois-tu qu'ils vous auraient accueillis dans leur maison?

– C'est un jeu pour eux autres.

– Tu regardes trop la télé.

Non, je regarde Bambi.

– Ils ont soixante quelques années. Réfléchis deux secondes à ta théorie...

Elle s'éloigne vers la salle de bains.

– Qu'est-ce que j'ai fait au Bon Dieu? implore-t-elle pour elle-même.

Pourquoi est-ce que je passe pour un trou du cul, alors que le bon dans l'histoire, c'est moi? Je comprends comment Jésus se sentait sur la croix avec des clous de dix pouces dans les poignets et les chevilles. Moi aussi, je pose la question: qu'ai-je fait au Bon Dieu?

Je profite de la séance de maquillage express pour me changer dans ma chambre. Comme mon pyjama party supervisé a tourné à la catastrophe et qu'il est officiellement terminé, j'enlève mon linge mou. Ce striptease n'intéresse nullement Anorexie, qui est couchée au même endroit sur mon lit depuis plus de vingt-quatre heures. A-t-elle mangé depuis tout ce temps? Est-elle devenue anorexique à force de se faire répéter son nom? Elle est tellement paresseuse que si elle pouvait parler, elle exigerait qu'on déménage sa litière sur mon oreiller.

J'attrape une paire de boxers au sol et les sniffe. Sale. J'en trouve une autre coincée sous une roue de ma chaise de bureau. Sale. La troisième fois est la bonne. Odeur de Tide et non de diarrhée. J'enfile par la suite des bermudas couleur armée et un t-shirt des Sloppy Turkey Balls garni de poils de chat.

Gisèle et Gérard sont-ils en état d'alerte ? Vident-ils la pièce à la hâte ? Vont-ils nous jouer le coup de la clé égarée ? Si tel est le cas, je sors à la course et balance une brique à travers la fenêtre pour prouver une fois pour toutes que je n'invente pas d'histoire. Il me faudra dégoter une brique, mais bon, on verra rendu là.

Gisèle m'a humilié dans ma propre maison, mais dans quelques minutes, ce sera mon tour. Elle s'imagine que je me contenterai de m'excuser dans son entrée sans exiger l'ultime preuve. Elle se fourre le doigt dans l'œil. Je n'ai plus peur. Ma mère est là pour me défendre, on ne va pas nous attaquer à coups de batte de baseball.

Je me poste dans le vestibule et l'attends. Elle se prépare en un temps record, elle qui consacre habituellement cinq minutes à l'étape « rouge à lèvres ».

Le chandail qu'elle porte accentue le fait qu'aucun soutien-gorge ne lui soutient la gorge. J'évite de lui glisser un commentaire. Elle se retient pour ne pas me gifler, je ne ferai pas exprès pour la faire disjoncter. Des plans pour écoper d'une punition jusqu'à la fin de l'été.

Elle me met rarement en pénitence, mais lorsqu'elle le fait, ce sont toujours des sentences exagérées.

Comme l'année passée. J'avais dit à une élève que son père avait la dentition d'un cheval. La pouliche s'était plainte, je m'étais ramassé chez le directeur qui, lui, avait appelé ma mère. Résultat : un mois sans télévision. Aucun lien entre les deux. Si au moins, elle m'avait interdit de regarder des films de poneys, j'aurais compris.

Nous traversons la rue. Elle marche d'un pas rapide et me tire par le bras. Elle est couverte de honte, c'est clair, mais est-elle obligée de se donner en spectacle devant tout le voisinage en me traînant comme un enfant de trois ans ?

Nul besoin de sonner, la porte s'ouvre d'elle-même. Gisèle nous accueille sans bonjour et nous demande d'enlever nos souliers.

– Vu que le ménage est frais fait, ajoute-t-elle avec sarcasme.

Nous obéissons.

Gérard, assis à la salle à manger, à côté du vaisselier, se lève, serre la pince de ma mère en la saluant poliment. Il fait comme si je n'existais pas. Tant mieux, je n'ai rien à lui dire.

Nous descendons l'escalier. Je remarque l'odeur de net qui flotte. Pas de trace de minou. La compagnie Top Moppe a du talent à revendre, pour vingt piastres précisément, mais je n'ai pas l'esprit à la plaisanterie.

Gisèle met la main sur la poignée de ladite pièce. *Enwèye, ouvre !*

– Je ne verrouille que lorsque des étrangers viennent. Ça me gêne de montrer mes œuvres, mais puisque j'y suis obligée…

Elle pousse la porte.

Les rideaux sont écartés.

Au centre, un chevalet sur lequel repose un cadre avec des taches de couleur. Sur les murs, des toiles. Et encore des toiles. Un musée d'art.

Le vertige me prend, je sens ma tête tourner.

Sur un meuble de bureau, l'ordinateur et l'imprimante.

– Ma femme prononce une conférence lundi, révèle Gérard. On est zéro techno. Son frère nous a prêté son ancien Mac pour qu'elle puisse écrire son texte.

– Disons que ça me stresse beaucoup, complète-t-elle. Je suis habituée de peindre, mais pas d'en parler devant une centaine de personnes.

Je flotte dans une autre dimension. Je m'étais tant imaginé ce local avec un vélo et un tas d'objets que de le voir de la sorte me donne l'impression qu'ils ont ouvert la porte d'une pièce différente. Je me trouve bel et bien dans la bonne maison. Dans la bonne pièce.

– Je comprends pas, il est où le bicycle de mon ami ? que je balbutie en réalisant mon erreur.

– Je sais pas, mon cher, dit Gisèle, mais tu t'es trompé sur toute la ligne.

– Et tu nous dois des excuses, insiste Gérard. En plus, tu m'as fait une de ces frousses hier soir.

– Toi aussi.

– On dit «vous», me corrige Jocelyne. La politesse.

– Vous aussi.

– Et? persiste Gisèle. As-tu quelque chose à rajouter?

Elle s'adresse à moi comme une monitrice de garderie.

Je regarde Gisèle, puis Gérard et marmonne:

– Je m'excuse.

– Plus fort! ordonne ma mère.

– Je m'excuse.

La dame s'avance et met une main sur mon épaule.

– Parfait, on te pardonne. Maintenant, où est l'urne?

– Je vous jure que je l'ai pas volée.

– Je connais mon gars et ça paraît quand il ment. Là, je vous assure qu'il est sincère.

– Mais si c'est pas toi, c'est un de tes amis.

– Ils me l'auraient dit. Tristan est ultra pissou, pis Maxim, elle est sage comme une image.

– Qui alors? demande Gérard en se grattant la tête.

Soudain, l'évidence me saute au visage.

Hier soir, alors que nous approchions la fenêtre de leur maison, nous avions entendu du bruit. Puis nous avions vu les jumeaux dans la rue. Ils étaient entrés pour dévaliser la baraque durant l'absence du couple et d'une manière ou d'une autre, nous les avions interrompus. Ils n'avaient pu se sauver qu'avec l'urne.

– Je pense qu'en venant espionner ici, on a surpris les voleurs.

Je leur relate notre mésaventure de la veille.

– Depuis le début que je le dis que c'est eux, me reproche ma mère, une fois mon récit terminé.

– Les nouveaux voisins ? demande Gisèle.

J'acquiesce.

– Sont fatigants, commente Gérard. Méchante gang de BS.

– Gérard, franchement !

– Quoi ? Je fais juste dire tout haut ce que tout le monde pense tout bas.

– On va devoir appeler la police, conclut sa femme.

– Pour leur raconter quoi ? Que les cendres d'Yvon se sont volatilisées ? Il n'y a pas de trace d'effraction, je sais pas comment ils sont rentrés. Rien d'autre a disparu dans la maison. On n'a pas de preuve contre eux. T'imagines-tu que les policiers vont nous prendre au sérieux ? À leur party de Noël, c'est de notre histoire qu'ils vont rire !

Je ne peux qu'être d'accord avec lui.

UNE URNE ET UNE BRASSIÈRE EN CAVALE :
LA SQ EST SUR LE QUI-VIVE !

– Qu'est-ce qu'on fait ? demande Gisèle.

– J'ai une idée, que je leur réponds.

Chapitre 20

Bienvenue dans le doute

Que fait-on lorsque la justice ne peut nous venir en aide ? On l'applique soi-même…

Et c'est ce que je fais. Ce que nous faisons. Gérard, Gisèle, ma mère et moi.

Piège en place.

Moi, en position.

Walkie-talkie imprimé dans la main droite.

Je ne veux pas l'échapper.

J'enfonce le bouton sur le côté et murmure :

– Je suis prêt. 10-4.

Je me demande pourquoi ces deux nombres ont été sélectionnés pour conclure les conversations radio. Pourquoi pas 7-3, 5-6 ou 99-321 ?

Je me prends trop au sérieux avec mes codes. Je n'y peux rien. L'excitation m'envahit. Je m'imagine dans un film de guerre. Lieutenant Bine scrute le camp ennemi.

– Parfait, bonne chance, répond Gérard.

Je l'entends comme s'il me susurrait ses encouragements à l'oreille. Le son est au minimum. Pas le choix. Personne ne doit me découvrir. Sinon, le plan échouera. Et il n'en est pas question. Surtout qu'il s'agit du mien. Nous sommes tous déterminés, comme

Eugenie Bouchard avant un tournoi du Grand Chelem. Ce racket a assez duré, on lui réserve un smash.

La peur n'est pas au rendez-vous. Ou si peu. Il ne peut rien m'arriver de sérieux. Parce que, pas loin de moi, trois adultes se tiennent prêts. Pour intervenir et appeler le 911.

L'impatience de connaître le dénouement de cette saga complètement malade me gruge.

Jusqu'à ce matin, je soupçonnais le couple de sexagénaires. J'aurais gagé une piscine quant à leur culpabilité. La brassière retrouvée dans la salle de lavage, la main ferme de Gisèle sur mon épaule, son ton sévère, son obstination à nous éloigner de la pièce fermée à clé. Tout pointait dans leur direction.

Et pourtant, je m'étais trompé. Personne n'est parfait, même pas moi.

Je m'étais excusé auprès d'eux mille fois. Ils avaient fini par accepter et comprendre que j'avais commis une erreur pardonnable. Après tout, en la traitant de vieille conne et en lui piquant un morceau de linge, je défendais et vengeais mon ami Tristan et ma mère, deux victimes du ou des voleurs.

Mon enquête était revenue à la case départ. Puis j'avais eu cette idée saugrenue…

Je prends racine, assis dans la haie de cèdres de Gérard et de Gisèle, plus large et imposante que la nôtre. Mieux entretenue surtout. À l'évidence, aucun soûlon ne pisse dans la leur.

J'ai pu m'y improviser une cabane sans difficulté. Et en quelques secondes, j'ai trouvé une position décente pour l'opération. Rien à voir avec le moelleux d'un divan, mais au moins, aucun tronc ou bout pointu ne me laboure le coccyx.

Avec les températures désertiques des derniers jours, le sol est sec. Rien de plus déplaisant que des fesses qui baignent dans l'humidité. Le confort va, à condition que je ne poireaute pas ici durant deux heures.

Le lampadaire poursuit son coma nocturne. Je porte du noir de la tête au pied. Littéralement. J'ai enfilé la cagoule d'hiver de Gérard lorsqu'il passe la souffleuse. Il me l'a prêtée, bien sûr, le vol de vêtements est banni de ma liste. Je me sens puissant et menaçant comme un braqueur de banque. Il n'y a que mes souliers blancs qui flashent. Assis en indien, mes cuisses les cachent en partie. Le branchage effectue le reste du travail. Je suis l'Ado invisible. Sam Fisher, héros de *Splinter Cell* et spécialiste de la furtivité, ne réussirait pas mieux.

Devant moi, de l'autre côté de la chaussée, se dressent ma maison et celle des Dupuis. Entrée déserte, lumières intérieures et extérieures éteintes ; à première vue, il n'y a personne chez moi. Et c'est exactement le cas. Notre Tercel plus âgée que moi est stationnée dans une rue perpendiculaire, à moins de cinq cents mètres d'ici.

Paysage identique chez Gi & Gé : pas de véhicule sur le pavé et aucun éclairage. Créer l'illusion que ses habitants sont partis pour la nuit, voilà le but recherché. Toutefois, ma mère et eux attendent dans le noir autour de la table à manger et s'adonnent à un jeu de cartes. Quelques chandelles illuminent les dames et le roi, tandis que le joker leur donne des nouvelles aux cinq minutes via le walkie-talkie, en espérant qu'un deux de pique ait le cœur de se manifester.

– Toujours rien. 10-4.

Il y a deux ans, au travail de Jocelyne, une collègue s'était fait voler son portefeuille en plein jour. Elle s'était absentée de son bureau pour photocopier des documents, était revenue se rasseoir et avait remarqué que la fermeture éclair de son sac à main était mal refermée. Aucun témoin du crime. Le lendemain, une seconde victime.

Le coupable s'était fait coincer quelques jours plus tard. Un piège lui avait été tendu et il était tombé tête première dedans. Une sacoche, celle de ma mère, avait été « abandonnée » dans la salle du personnel. La minicaméra de surveillance dissimulée dans un pot de plante n'avait pas eu à filmer bien longtemps. Dans l'avant-midi, un poisson mordait à l'hameçon, alors que personne d'autre ne se trouvait dans le local. Pris la main dans le sac, c'était le cas de le dire. Devant la preuve, le fautif avait été obligé d'avouer et avait été renvoyé sur-le-champ.

Cet épisode m'est revenu ce matin. Ma mère me l'a raconté si souvent qu'il m'a inspiré ce subterfuge.

Cette fois, la sacoche a été remplacée par la machine à pression empruntée, un appareil attrayant aux yeux d'un voleur, selon Gérard. Surtout ce Simoniz qui, d'après lui, vaut au moins deux cents dollars. Il avait débranché le boyau d'arrosage sans problème.

Je l'ai placée à la vue devant notre maison, ni trop près de la chaussée ni aux abords de l'entrée asphaltée, là où nous déposons chaque mardi soir (ou le mercredi au lever, en catastrophe) la poubelle et le bac de recyclage. Les passants croiraient que nous la jetons. Le quartier est inondé de patenteux qui sillonnent les rues à la recherche de gros déchets à rafistoler ou à revendre. On ne peut pas se permettre de perdre une machine qui ne nous appartient pas.

Ne reste plus qu'à attendre que la crapule repère la machine à pression et se laisse tenter. On a tout mis en œuvre pour lui faciliter la tâche. Un peu plus et on lui emballait le tout dans du papier cadeau.

Moi qui m'ennuyais de jouer à la cachette. Cette fois, celui qui se fera coincer ne sera pas le prochain à compter jusqu'à cinquante, plutôt le premier à se faire menotter.

Ma tanière ne pourrait pas être mieux choisie. Je dispose d'un siège VIP pour assister à la scène. Dans la maison, il me faudrait me tenir près d'une fenêtre, l'élément qu'un voleur vérifie en priorité. Et en me faufilant le bout du nez, le rideau bougerait.

Ma cabane m'offre une vue privilégiée sur la soue de nos voisins cochons, nos suspects numéro un. Comme par hasard, les disparitions ont commencé après leur arrivée. Gisèle nous a informés qu'un couple d'amis, qui habite à six ou sept bungalows du leur, s'est fait dérober un barbecue durant ses vacances à Ogunquit… la semaine dernière!

Mais sur les quatre vols rapportés, seuls deux s'expliquent. Un barbecue et un vélo valent une somme raisonnable. Pourquoi s'emparer d'une urne contenant des cendres? Est-ce l'écriture dorée sur le côté qui a porté à confusion? Ont-ils cru à de l'or véritable?

Et que dire de la brassière? J'ai vérifié et aucune annonce récente de rack-à-jos beige sur Kijiji. Le contraire m'aurait sidéré. Je n'ai repéré qu'un soutien-gorge d'allaitement à cinq dollars (non négociable!).

Encore cet après-midi, ma mère a passé la maison au peigne fin. J'ai ratissé toute la cour, sous le perron, dans les haies. Rien. Je dois me rendre à l'évidence: quelqu'un a volé la brassière de matante.

Admettons un instant que ce soit eux. Ils la revendraient combien? Vingt-cinq cents? Personnellement, je n'achèterais jamais de boxers usagés, même si les gars de One Direction les avaient portés l'un après l'autre et s'étaient donné la peine de les faire bouillir. Et une urne? Je n'ose pas imaginer…

HURNE EN OR A VANDRE.
AVEC OU CENT LES SENDRES DE PAPI.
50 $ NON NÉGOSSIABLE. ME DÉPLASSE PAS.
POUR VANTE RAPIDE. CALL MOÉ VITE.

Et si les voisins n'y sont pour rien (j'en doute), j'espère que le ou les coupables se manifesteront. Je suis excité par ma mission, mais ma fébrilité diminue à mesure que les minutes avancent.

Il est environ vingt-deux heures trente, même heure qu'hier lors de l'opération Ping Pow Chow. Il me faudrait une montre. Tous les professionnels en portent une au poignet. Avec une ampoule bleue pour lire l'heure dans la pénombre.

Les courbatures commencent à s'inviter. J'arrondis le dos, puis l'étire.

Je n'ai jamais passé autant de temps dans des cèdres. Je vais sentir le conifère le reste de l'été. Je me gratte le nez, l'odeur me chatouille.

Un mouvement dans mon angle mort à droite. D'un coup, toute ma lassitude se dissipe. Je me tourne.

Une ombre.

Une bouffée de chaleur se répand en moi.

Près de l'entrée de Gisèle et de Gérard, une silhouette traverse la rue. Mes pupilles sont depuis longtemps acclimatées à la noirceur. Je rêve ou bien c'est la mère de Tristan ?

Une fois de l'autre côté, la personne se dirige vers la gauche.

Oui. C'est elle.

Qu'est-ce que tu fais là? Va te cuisiner des muffins!

Pourquoi une promenade à cette heure, un samedi soir, alors que la majorité des gens regardent la télé au sous-sol au frais? Elle laisse Tristan tout seul? Ça n'a pas de sens...

Elle s'avance devant notre terrain.

Elle semble examiner s'il y a quelqu'un. Que veut-elle? Nous redonner la brassière? Et pourquoi zieute-t-elle la machine à pression de la sorte?

Va-t'en!

Elle observe autour d'elle, puis grimpe sur le gazon.

Et s'empare de la machine.

Shit, c'est elle!

J'ai inventé l'histoire du tiroir rempli de brassières pour me tirer d'affaire, mais j'avais imaginé juste. Voilà pourquoi elle était si offusquée au téléphone.

Cela signifie qu'elle a volé le vélo de son propre fils. C'est tordu, même ultra extra twisté. Mais depuis que j'ai vu mon père «licher» la face de la secrétaire de mon école, plus rien ne me surprend. Je pourrais apprendre que madame Béliveau est la nouvelle gérante du magasin La Senza et que Rachid Badouri se fait briller le crâne avec de la cire à chaussure que je ne tomberais pas en bas de ma chaise.

– On a un problème. 10-4.

Je relâche le bouton.

– Qu'est-ce qui se passe?

La mère de Tristan est en train de nous voler la machine.

Elle regarde sans arrêt à gauche et à droite. Je rêve où elle est nerveuse? Elle ne ressemble en rien à un escroc professionnel. Quelque chose ne tourne pas rond.

– Deux secondes...

Elle bascule le Simoniz vers l'arrière afin qu'il roule sur ses deux roues.

Non, fais pas ça.

Elle le pousse vers la façade de la maison. Que fabrique-t-elle? Elle secoue ses mains sur ses pantalons et s'éloigne, laissant derrière elle notre leurre.

Ma décharge d'adrénaline disparaît aussi vite qu'elle est apparue.

– Fausse alerte. 10-4.

Il me semblait bien que madame Préfontaine ne pouvait pas être la coupable. Qu'est-ce que j'ai à m'emballer si rapidement?

De chez elle, elle avait dû remarquer qu'un objet de valeur traînait sur notre terrain. Ne voulant pas qu'on se le fasse voler, elle l'avait mis plus à l'abri des regards indiscrets. Elle ignorait que... c'était ça le but!

Qu'est-ce que je fais? Je ne peux pas émerger de ma cachette, traverser la rue et le replacer à son endroit initial. Mes voisins ont tout le loisir de me *spotter*. Un gars en cagoule ne passe pas aussi inaperçu qu'une nouille dans une soupe.

Enlève ta cagoule, innocent!

Je ne peux courir le risque de dévoiler l'emplacement secret de ma citadelle. Plus tôt, je suis sorti par la porte de Gisèle et Gérard menant à la piscine et j'ai longé la haie. Personne ne m'a vu.

– La mère de Tristan a bougé la machine, mais je pense qu'on est correct. 10-4.

Gérard me répond une dizaine de secondes plus tard.

– Bien reçu. Je viens de voir ça. C'est pas si pire, elle est encore évidente.

Un grincement attire mon attention.

– Oh, y'a un char qui ralentit. 10-4.

Les phares s'éteignent.

Sans lumière aveuglante, je reconnais immédiatement le conducteur. Ginette est assise côté passager. Sur la banquette arrière, les jumeaux pointent à droite. La voiture freine devant notre parterre.

Oui, oui, il y a une belle surprise pour vous!

L'auto s'immobilise quelques mètres plus loin. Les portières s'ouvrent. Les parents remontent l'allée et débarrent la porte. Les jeunes restent près du véhicule. Marcel se tourne et leur dit:

– Attendez un peu, y'est trop de bonne heure.

Chapitre 21

La filature des tueurs en série

Sur l'écran de mon walkie-talkie, le témoin des piles n'affiche qu'une barre sur trois depuis un moment déjà. J'essaie de ne pas y porter attention. Les deux autres ont fondu comme un cornet de crème glacée molle sous un soleil de midi. Je le secoue, conscient de l'inutilité du geste.

Je me concentre sur la porte des Dupuis. Et les environs. Je connais les trucs du métier. Les jumeaux risquent de sortir par l'arrière de leur maison et de se faufiler à travers les cèdres. Je le sais, c'est ce que nous avons fait. S'ils ne sont pas de profonds morons, ils éviteront de parader comme des fanfarons à la vue de tous.

Voilà une trentaine de minutes que mon cœur ne lâche pas la cadence, qu'il tonne et marathonne. La vessie me chatouille, insiste de plus en plus.

«*Attendez un peu, y'est trop de bonne heure.*»

Cette phrase de Marcel me résonne dans la tête. Elle joue et rejoue comme une chanson irritante de Katy Perry à la radio. L'excitation des frères a tout confirmé. Surtout cette observation de l'un d'eux: «Elle a l'air neuve». Et son père de lui ordonner de fermer sa gueule.

La question n'est plus de savoir QUI, mais plutôt QUAND. Le POURQUOI va de soi. Pour l'argent. Parce que ce sont des crottés sans morale, sans scrupule, sans valeur. Donc à quand le signal? Hier, il n'était pas trop tôt pour s'introduire chez Gisèle et Gérard – d'ailleurs, ces derniers n'ont toujours pas découvert comment ils ont réussi leur coup –, alors pourquoi est-ce le cas ce soir?

J'imagine que dérober un objet à l'extérieur, devant une maison, augmente les risques. N'importe qui promenant son chien pourrait les surprendre. Sans compter les suricates écornifleux qui épient tout ce qui se passe de leur fenêtre de cuisine. Cette espèce n'est pas en voie de disparition dans notre quartier.

Trop de bonne heure, trop de bonne heure... Vont-ils patienter jusqu'à minuit?

Grouillez-vous.

Je m'informe de l'heure.

– Onze heures et quart, répond Gérard à l'autre bout. Si ça peut te réjouir, ta mère a gagné les deux parties jusqu'à maintenant. Une chance qu'on joue pas à l'argent.

Ils jouent au Neuf. Un chiffre de plus que mon Huit, mais une coche plus complexe, semble-t-il. Je connais le Huit, la Bataille, le Trou de cul et 52 ramasse. Tristan ne se souvient jamais des règles de ce dernier.

– OK, merci. J'ai presque plus de pile, alors je vais vous appeler moins souvent. 10-4.

– Bien reçu.

Depuis mes excuses, nous avons pu échanger, discuter, élaborer ce plan. La froideur s'est dissipée. Ils ont compris que je n'étais pas l'ennemi, que je n'ai rien à voir avec la disparition de l'urne et que mon insulte était sortie de ma bouche sur le coup de l'émotion. Gisèle est vieille, mais pas conne.

Pour la collation de l'après-midi, elle m'a offert ses biscuits maison débiles au chocolat. Gras, sucrés et pesants, comme je les aime. Y repenser me donne faim. Je m'en claquerais quelques-uns, disons dix-douze, pour refaire le plein d'énergie. Quelques pépites éveilleraient mes sens et calmeraient les plaintes de mes foufounes endolories.

C'est long être assis. Il n'y a rien de plus pénible qu'une journée d'école sans éducation physique. Mais là, être assis comme une statue Bouddha, l'ennui dépasse celui d'une messe ou d'un cours de géométrie. Je me sens comme à la clinique, à l'exception que je n'attends pas qu'un médecin m'examine les amygdales. Aucun magazine datant de 2005 à feuilleter, pas de belles filles à contempler, pas de fontaine d'eau pour me désaltérer et pas de couloir pour me dégourdir les jambes. Juste les secondes à regarder passer. Je ne peux même pas, je n'ai pas ma montre de pro.

Oh!

Quelqu'un a éteint la lumière du perron.

Enfin.

Depuis leur arrivée de je ne sais où, elle était restée allumée.

Sans y penser, je change de position. Je me place en petit bonhomme, comme un receveur au baseball. Être sur mes pieds me rassure : je peux fuir sans avertissement tel un frappeur qui vole le deuxième but.

Aucune activité près de la porte. Pas d'éclairage à l'intérieur. On croirait qu'ils sont couchés. Une poignée de valise ne me pousse pas dans le dos, je ne suis pas dupe.

Un mouvement dans les cèdres.

Est-ce eux ?

Quelques crépitements.

Montrez-vous la face.

Il faudrait un hippopotame errant pour causer autant de remous.

Et ils réapparaissent.

Sur le côté de ma maison.

Les deux frères.

Un frisson me traverse. Au lieu d'accélérer, mon cœur s'immobilise. Fige. Coince. Est-ce ça, une crise cardiaque ?

Je m'observe paniquer de l'extérieur de mon corps. J'assiste à la scène de derrière, à la troisième personne, comme dans *Grand Theft Auto.*

Ma patate reprend son pilage capable de réduire en purée n'importe quel caillot. Mes pulsations avoisinent les deux cents battements à la minute.

J'inspire par la bouche, mon nez ne suffisant plus à capter l'oxygène.

Depuis le temps que j'attendais le dénouement, le voici. Mais là, je ne veux plus être ici. Fragile, impuissant, vulnérable. Le danger rôde, les crocs sortis, prêt à me déchiqueter en lambeaux.

Les jumeaux atteignent le coin avant-gauche. Un coup d'œil furtif et ils localisent la Grand Theft Machine À Pression. Ils s'approchent discrètement, croyant à tort que se pencher les rend invisibles. Le mot «suspect» vient de se graver sur leur front.

BIP! BIP!

La sonnerie du walkie-talkie me glace le sang. Je sursaute. Il me glisse des mains et atterrit entre mes jambes.

Non, non, non, non, non.

Mes intestins se nouent. Je vais dégueuler.

Je tremble de partout.

Quelques gouttes de pipi s'échappent.

Ça suffit.

La haie me camouflant a disparu, une flèche pointée vers moi pend au-dessus de ma tête comme l'épée de Damoclès. Je suis une baleine échouée sur le bord d'une plage, un poisson-clown égaré au beau milieu de la mer. Les requins ne vont pas tarder.

Prépare-toi à crever.

Je me mets à genoux et, incapable de contrôler mes mouvements les plus simples, bascule vers l'avant, retiens mon équilibre sur une branche, saisis l'appareil, le réchappe. J'ai l'impression d'être doté de deux mains gauches, de dix pouces et du système nerveux d'un colibri.

S'il vous plaît.

Je coince le walkie-talkie entre mes cuisses, aperçois le témoin de la pile qui clignote et tourne la roulette du volume afin de le fermer.

Mauvais sens !

Statique à tue-tête, un mort-vivant se gargarise dans le haut-parleur.

Fuck !

BIP ! BIP !

Plus fort cette fois.

Come on, ça va faire.

Je fais pivoter le bouton dans le bon sens.

Clic.

Alertés par le bruit, les deux frères retraitent sur le côté de la maison et se couchent à plat ventre.

Des murmures indécodables.

Ils cherchent une explication à ces bips-bips. Était-ce un appel extraterrestre, le cri de détresse d'une bête rare ? Ils regardent dans ma direction, scrutant ce décor sombre, à la recherche d'une anomalie. Ils ne me voient pas, ne peuvent pas deviner que leur voisin les espionne avec un walkie-talkie dans les cèdres d'en face.

Respirer devient pénible. Je me sens comme à la fin d'un sprint. Ils doivent m'entendre haleter. Des perles de sueur dégoulinent sur mon front, échouent dans mes cils. Ma cage thoracique tendue m'emprisonne telle une coquille d'huître.

Inspire, expire. Inspire, expire.

Je baisse le menton et m'assure que mon appareil est bien fermé. L'écran est obscur comme celui d'une télévision éteinte.

La malchance me colle au derrière. L'histoire de ma vie. Quelles étaient les probabilités ? Dans les films, le héros manque toujours de pile sur son téléphone à un moment mal choisi, comme lorsqu'un maniaque le poursuit dans une rue déserte. Sinon, l'action se transporte dans une grange glauque en pleine campagne, hors réseau, ce qui rend toute communication impossible via cellulaire. Mais il reste que ce sont des films…

Je revérifie l'écran pour la troisième fois.

De retour à mes proies.

Où sont-ils ? Je ne les vois plus.

Où est-ce que vous êtes ?

Je les ai quittés des yeux un instant et pouf, plus là. Évaporés.

Retourne dans la maison de Gérard.

Ont-ils flairé le guet-apens ? Si nous ratons cette occasion, il n'y aura pas de deuxième chance.

Calme-toi, ils vont revenir.

Je ne peux pas rallumer le walkie-talkie. Le haut-parleur m'avertira à pleins poumons que la pile se meurt. Si les jumeaux guettent les parages, à l'affût du moindre mouvement ou bruit, ils me repéreront aussi facilement que les orignaux détectent les chasseurs novices.

Ça me brûle de ne pas pouvoir crier à Gérard, à Gisèle et à ma mère que je les avais au bout des doigts. Qu'ils peuvent appeler la police. Que je suis certain de mon coup. La liaison échouera et je le sais trop bien.

Avoir su, je ne me serais pas amusé à dicter mes rapports aux deux minutes, à ajouter des « 10-4 » superflus. Quelques interventions de moins, c'est tout ce qui aurait suffi pour me laisser assez de pile.

Où sont les frères? Ont-ils battu en retraite ou bien sont-ils camouflés dans la haie, immobiles, en train d'analyser ce qui s'est passé? Pourquoi les ai-je quittés des yeux un instant?

Maudit walkie-talkie!

Je calcule le nombre de pas vers la maison. Une dizaine. Quinze max.

Vas-y.

Le problème, c'est qu'en m'exposant, la machine à pression resterait là. Aucune preuve à présenter aux policiers. Ma parole contre celle des soi-disant voleurs.

Attends.

Relaxe.

Je n'arrive pas à prendre de décision. J'arrête ou je continue?

Arrête.

Non, continue.

Mes nerfs ne peuvent plus endurer le supplice. Vessie, rotules, poignets, ventre, cuisses, épaules, ça frémit mur-à-mur mon affaire.

Calvince, vous êtes où ?

J'entends des bruits de toute part, comme lorsque Sirocco, alias Charles Leblanc, s'était caché dans le bois pour me faire peur en pleine nuit tandis que je m'essuyais les fesses avec des feuilles d'arbre.

Le sol tremble.

– Toi, t'es mort, gronde une voix menaçante.

Des mains m'empoignent les bras et me tirent hors des cèdres. Mes pieds ne touchent plus par terre. On m'arrache le passe-montagne et me pousse. J'atterris un mètre plus loin, face première dans le gazon. Je me retourne.

Ils sont là devant moi. Les poings serrés.

– Ça t'amuse de nous espionner, ti-gars ? demande le plus grand et le plus costaud des deux.

– Tu vas le regretter, ajoute l'autre.

J'essaie de me relever. Un coup de pied me fauche les jambes. Le frère alpha se jette sur moi, m'écrase et frotte la cagoule sur mon visage comme le fait un hockeyeur à un adversaire avec son gant lors d'une escarmouche.

– T'aimes ça te mêler des affaires des autres, hein ?

Ils vont te tuer.

Il bondit sur ses deux pattes.

– Pouhahaha ! Regarde ça, Luc, il a pissé dans ses culottes !

Non, c'est pas ce que vous croyez.

Je m'aperçois qu'une mare s'est formée au niveau de ma ceinture. Et que je continue de m'uriner dessus.

Pitié, arrête.

Mais ma vessie n'en fait qu'à sa tête.

– Ta maman a oublié de te mettre une couche.

Je me place les mains devant la taille pour me cacher. Trop tard.

Celui qui s'appelle Luc se penche dans les cèdres, se redresse et brandit le walkie-talkie.

– Tchèque ça, Kev !

Ce dernier examine l'appareil à son tour.

Je profite de la diversion pour me remettre sur pied. Mes jambes vacillent, ne peuvent supporter mon poids. Mes muscles n'obéissent pas aux signaux que leur envoie mon cerveau.

– Pff ! Ti-gars jouait aux agents secrets ?

Il crache à terre et s'avance d'un pas.

– Donne-moi une bonne raison pour qu'on te casse pas la yeule.

Je n'en finis plus de me gicler sur la cuisse. La terreur me jette de l'acide en pleine face. Je voudrais répondre, mais mes lèvres sont cousues avec du fil invisible.

Fais semblant que t'as pas peur.

Les deux ont à peu près ma taille. Plus bâtis que moi, même le moins costaud, Luc. Mais je retiens surtout qu'ils sont deux. Comme dans l'expression «Quand on est deux, ça fesse deux fois mieux».

Je ne me suis jamais battu, je conçois mal comment je pourrais vaincre deux boxeurs professionnels. Ils ne compétitionneront pas en équipe comme à la lutte en se tapant dans la main pour se relayer. Non, ce sera quatre poings et quatre jambes à éviter. En même temps.

Pourquoi vous me faites ça? Laissez-moi tranquille, je vous stoolerai pas.

– Le chat t'a-tu mangé la langue?

Mes iris se noient. Les larmes m'embrouillent la vue.

Essuie-les pas.

– Bon, ti-gars pleurniche.

– Ah non, ta maman est pas là pour te protéger.

Dos droits, poitrines gonflées, mâchoires crispées, bras plus larges que les épaules, ils s'éclatent avec leur air de psychopathe.

Pas moi.

Pourvu que Gérard essaie de m'appeler. S'il s'aperçoit que la communication a été amputée, il saura que quelque chose cloche. Sa pile est-elle déchargée, lui aussi? À quand mon dernier 10-4 remonte-t-il? Ils ne doivent pas s'en soucier, je leur ai mentionné que je limiterais mes notifications.

Vite, maman, fais quelque chose.

Étranglé et incapable de prononcer la moindre syllabe, j'éponge mes pleurs avec mes manches. Au diable l'orgueil, ils se rendent bien compte que leur jeu d'intimidation récolte ses fruits. Humiliation suprême que d'uriner dans ses culottes. Pire que de perdre son maillot en plongeant.

Un pas. Kevin est à une distance de règle de moi.

Il sourit.

Mon ventre se déchire en deux. Le souffle me manque. Je tombe, plié en deux, et me tords de douleur.

Un boulet de canon m'a défoncé.

De l'air, de l'air.

Mes poumons ne répondent pas. Déconnectés.

– Dis-toi que c'est rien à comparer de ce qui t'attend si tu dis quoi que ce soit.

Je dirai rien.

Mes bras contre mon abdomen, en position du fœtus, je me concentre pour survivre à la torture. L'oxygène se fraie un chemin en moi une molécule à la fois. Le coup de poing m'a broyé le nombril, arraché le diaphragme, charcuté les viscères. Je garde les yeux fermés, de peur que l'ange de la mort se joigne à eux et me contemple jusqu'à ce que j'exhale mon dernier soupir.

Enfuis-toi.

Ils se trouvent plus près de la maison de Gérard et Gisèle que moi. Ils y font dos. J'aimerais les déjouer et me ruer vers la porte, mais il me faudrait des plaqueurs comme au football. Je ne peux rien faire. Leur surnombre et cette douleur handicapante qui lancine dans mes tripes rendent toute confrontation inimaginable.

Je voudrais crier à l'aide, mais je continue de tousser, et eux de se réjouir.

Puis, je prends une décision.

Chapitre 22

Course effrénée et bourses enflées

Je les prends par surprise.

– Reviens icitte ! crie l'un.

Je sprinte vers ma maison pour qu'ils croient que je souhaite me réfugier. Mais je sais très bien que ma porte est triplement barrée. Je bifurque à gauche à la dernière seconde, passe devant leur cabane et poursuis mon accélération.

Encore cette année, j'ai gagné l'épreuve du cent mètres à mon école. J'ai plus de chances de les battre à la course qu'aux poings.

Mes pieds martèlent le sol. Mes jambes se croisent telles les lames d'une paire de ciseaux.

Je jette un coup d'œil derrière moi. Je les devance d'une dizaine de mètres.

Combien de temps vais-je être capable de soutenir cette vitesse ?

Continue.

Mon instinct de survie éclipse mes douleurs abdominales. Elles seront de retour, de la même manière que le Soleil réapparaît après avoir été caché l'espace de quelques instants par la Lune.

Le quartier, je le connais par cœur. Pas eux. À moins qu'ils l'aient étudié. Si je pouvais les distancer de trente, quarante mètres, je risquerais de les semer à force de tourner à droite et à gauche, sans direction précise.

Je fends l'air. Gauche, droite, gauche, droite. Une, deux, une, deux, une deux. Je ne me concentre que sur mes pas. Je fixe le sol un mètre devant moi. Ce n'est pas le moment de trébucher dans un nid de poule ou de me tordre la cheville sur une bouche d'égout.

Mes jambes envoient des signes de fatigue à mon cerveau. Des brûlements dans les cuisses. Je songe au sort que les jumeaux me réservent s'ils me rattrapent. Et je reprends de la vitesse.

Survivre. À tout prix.

Un coin de rue approche.

L'écart demeure le même. Le second traîne derrière, mais le costaud suit la cadence. Je passe devant le parc, à ma droite. Devrais-je piquer à travers et sauter par-dessus la clôture du fond?

Je continue.

Grimper le grillage me freinera. Kevin aura le temps de me rejoindre et de me matraquer.

À l'arrêt, je tourne à droite.

Il me talonne.

J'exagère mes foulées, tente de gravir une distance maximale à chaque pas.

Au stop suivant, je prends à gauche.

Une voiture me dépasse. Je bats les bras, trace des arcs de cercle pour attirer l'attention du conducteur.

Les lumières rouges à l'arrière s'illuminent. S'arrête-t-il pour me venir en aide? Pour me sauver? Le bolide ralentit. Pour mieux disparaître à l'intersection.

Attendez!!!

J'emprunte la même direction.

J'agite mes baguettes dans les airs. Rien à faire. L'auto est trop loin.

Deux propriétés et je tourne encore à droite.

Luc s'est volatilisé. Kevin montre des signes de fatigue. Moi aussi. Ma mince avance a doublé.

Vite!

Va cogner à des portes.

La majorité des demeures sont éclairées à l'extérieur, mais les gens qui s'absentent pour la soirée le font toujours pour mettre de la vie, produire l'illusion qu'ils y sont. Je ne voudrais pas me buter à une maison vide. Et même s'il y a des adultes, Kevin m'attaquera, me rouera de coups, me cassera les dents bien avant qu'on intervienne.

Si on intervient.

Je me concentre pour respirer lentement, profondément. Il ne faut pas que je m'emballe. Cette course s'annonce interminable.

Gauche.

Le quartier est mêlant pour les non-initiés, les rues ne sont pas parallèles et perpendiculaires comme les lignes sur une grille de tic-tac-toe. Elles serpentent dans tous les sens.

Droite.

Dans une minute, je croiserai la rue où ma mère et Gérard ont stationné leur voiture. Il me suffira de les dépasser et de tourner à droite au coin suivant. La maison où sont cachés mes complices pointera à l'horizon.

– Ça te donne rien de te sauver, j'vais te rattraper.

Je ne me retourne pas. Selon la voix, mon avance se maintient.

Droite.

Respirations saccadées. Ma salive épaisse se compare à de la bave de crapaud. Mon estomac coasse.

Notre bazou devant.

Une issue se profile.

Si les portières sont déverrouillées, je pourrai pénétrer à l'intérieur, les barrer et enfoncer le klaxon. Et ne le relâcher que lorsque tous les habitants du quartier m'auront rejoint.

Mince espoir.

Notre voiture, masse lointaine, grossit.

De plus en plus.

Go ! Go ! Go !

Je m'imagine au volant, les poursuivant, avec l'unique but de les réduire en galettes comme les ratons laveurs en bordure des routes. Je jouis à l'idée de les regarder souffrir.

Je saisis la poignée côté conducteur.

Barrée.

Celle d'en arrière aussi. Le contraire m'aurait surpris.

Kevin se rapproche.

– Je vais te péter la yeule, mon os☠💣 !

L'auto de Gérard !

Je me rue sur elle.

Merde !

Les portières sont, elles aussi, verrouillées.

Défonce le char !

J'effectue un trois cent soixante sur moi-même. Rien autour de moi. Pas de brique. Pas de tige de fer.

Je reprends mon sprint. Beaucoup de terrain perdu.

L'intersection de ma rue, j'y arrive.

Coup d'œil au-dessus de mon épaule.

Kevin dépasse notre Toyota. Son sourire a disparu depuis un bout. Il court comme quelqu'un qui a envie de tuer. Pas très loin de la réalité…

Au stop, je tourne à droite.

Mes bras balancent au rythme de mes pas.

T'es capable.

Il y a quelqu'un, au loin, en pleine rue, devant chez moi.

Gérard.

Je lève la main et oui, il me voit, car il se met à marcher dans ma direction.

Il se presse, même.

Yes!

Une dizaine de bungalows me séparent de mon sauveur.

Neuf.

Huit.

Tu vas y arriver.

L'espoir me donne des ailes. Derrière, Kevin vient de tourner sur la rue.

Sept.

Je freine sec.

Shit!

Ce n'est pas Gérard.

Luc.

Il est là, sur la chaussée, tout sourire, devant la maison de Tristan.

En se faisant semer, il était retourné au point de départ. Il devait bien se douter que je reviendrais un jour si je parvenais à déjouer Kevin.

– Coucou, c'est moi, dit-il.

Le plus athlétique arrive à son tour et arrête sa course à quelques mètres de moi. Les mains sur les cuisses, il reprend son souffle.

– *Good job*, Luc, commente-t-il entre deux inspirations saccadées.

Les deux s'avancent.

Lentement.

Pour éterniser le suspense, décupler ma peur.

T'es fait à l'os. C'est fini.

Ils bouchent les deux issues, je n'ai nulle part où fuir.

– Je te l'avais dit que ça te donnait rien de te sauver.

– Vous êtes rien que des maudits voleurs ! que je me surprends à dire.

– Oh, il a retrouvé sa langue ! raille Luc.

– Je sais pas de quoi tu parles, on n'a rien volé, ricane Kevin.

Ils vont t'écraser.

La voix de Sirocco me revient : « Il va falloir leur faire peur. » Il faisait référence aux loups. Il ne fallait pas nous laisser intimider.

Je lève les poings en position d'attaque et fléchis les genoux.

– Ha ! Ha ! Qu'est-ce que tu penses que tu fais ?

En trois secondes, j'essaie de revisionner tous les combats que j'ai vus dans ma vie, de Georges Laraque à Floyd Mayweather.

– Arrête, tu vas te faire mal !

Je n'ai rien à perdre. À part quelques dents. Si je me blottis en boule, je risque de me retrouver à l'hôpital.

– Attention, Luc, on n'est pas supposés frapper les filles, se moque Kevin.

Ils continuent de se rapprocher.

Fais de quoi !

Si j'attends, ils fondront sur moi des deux côtés à la fois.

Je cours en direction du plus petit. Deux mètres avant d'arriver à sa hauteur, je saute. Dans les airs, je plie une jambe et allonge l'autre, twiste le corps vers la droite et recule le poing. La main gauche suit le mouvement et vient me protéger le visage.

En retombant, je décoche une droite avec toute ma puissance, comme le *Superman Punch* de Georges St-Pierre.

Luc penche la tête *in extremis*.

Je heurte sa clavicule, aussi dure qu'un mur de brique. Une décharge électrique me foudroie la main et remonte le long de mon bras.

– Une pichenotte, c'est le mieux que tu pouvais faire ? ironise-t-il.

Je sais que je lui ai fait mal. Il fait des rotations d'épaule pour chasser la douleur et grimace.

Sans réfléchir, je lui balance un coup de pied entre les deux jambes.

Ses yeux sortent de leur orbite et il s'effondre au sol, plié en deux, et hurle. À réveiller les morts.

Je me retourne vers Kevin et ne vois pas le coup arriver. Il m'atteint en plein sur le nez. Je m'écroule.

Il se penche sur moi et me crache au visage. Du sang coule sur mes lèvres et dans ma bouche, me laissant un goût de fer.

Il lève le poing pour me refrapper.

C'est à ce moment que j'entends une sirène et aperçois, dans le ciel étoilé, les reflets d'un gyrophare.

Chapitre 23

Les frites de l'espoir

Luc s'écrit comme «cul» à l'envers. Première pensée qui me traverse l'esprit en me réveillant. Une espèce de révélation surgie de mon inconscient. J'ai dû rêver à lui. À eux.

Les yeux fermés, je revois les jumeaux. La cagoule arrachée. Leur air de dur. La fuite. La poursuite. La confrontation. Le coup de poing raté. Le coup de pied réussi. L'uppercut sur mon nez. La chute. Les sirènes. Les cris. Le néant.

Je chasse ces souvenirs désagréables. Ma douleur suffit, pas besoin de me remémorer les douze dernières heures pénibles.

Je ne m'étais pas couché avant l'aurore. L'arrivée des auto-patrouilles, mon transport en ambulance à l'hôpital, où les radiographies avaient conclu à un nez cassé, mais pas de commotion cérébrale apparente, ma déposition aux policiers où j'avais dû relater toutes les péripéties des jours précédents. Une nuit accablante et interminable.

De retour à la maison, je m'étais écroulé dans mon lit par-dessus les couvertures. Anorexie ne s'était même pas donné la peine de se tasser. Elle avait ronronné tout près de mon cou, ses longs poils me chatouillant la joue.

Dormir sur le dos d'un sommeil agité s'était avéré mon unique option. Mes abdominaux m'auraient trop fait souffrir sur le côté et, surtout, sur le ventre. On aurait dit que j'avais attrapé la gastro et que j'avais vomi ma vie. Non, j'avais seulement été victime du virus de la violence.

Impensable d'inspirer par les narines. L'enflure et les mottons de sang bloquaient tous les canaux. Je sentais mon cœur cogner dans mon nez et chacun des battements représentait un coup de poing. La douleur insatiable ne s'était jamais calmée, au contraire. En respirant par la bouche, je m'étouffais avec ma salive. Résultat : je m'étais réveillé en sursaut aux dix minutes.

Je regarde mon cadran. Quatorze heures. Mon record de grasse matinée. Pourtant, je suis fatigué et épuisé.

Les policiers n'avaient eu aucun mal à retrouver le vélo de Tristan chez les Dupuis. Le barbecue du couple d'amis de Gigi & Gégé avait aussi été récupéré ainsi qu'une dizaine d'objets volés dans le quartier depuis le début du mois, dont quatre bicyclettes, leur spécialité.

Les autorités avaient arrêté Marcel, Ginette et les jumeaux afin de les interroger au poste. Ma mère avait déposé une plainte formelle pour voies de fait contre les frères. Comme ils sont mineurs, une agente l'avait avertie de ne pas placer ses attentes trop élevées. À mots cachés, cela voulait dire qu'ils risquent une tape sur les doigts, la loi étant clémente envers les jeunes.

Un mystère demeure. Deux en fait. Aucune trace de la brassière ni de l'urne. Kevin et Luc avaient juré n'être jamais entrés par effraction chez Gérard et Gisèle. Une fouille de leur chambre et de toute la maison n'avait donné aucun résultat. Comme ils avaient tout avoué, les policiers avaient présumé qu'ils racontaient la vérité sur ce point. Pourquoi confesser avoir volé un barbecue à cinq cents dollars, mais pas une urne?

Ce qui me ramène à la double question: où sont les cendres de Papy et ce foutu soutien-gorge de Mamy?

Je me lève en me poussant avec mes bras afin que mes abdos ne forcent pas. J'enfile un t-shirt qui gît par terre, me lamente lorsque le col me frôle le nez, puis me traîne jusqu'à la toilette pour mon pipi du matin. De l'après-midi plutôt.

Je me regarde devant le miroir. Le choc. Ma condition a empiré. Mon visage ne guérit pas, il régresse, se désagrège. Mon nez a triplé de volume. Je ressemble à un raton laveur avec mes deux yeux au beurre noir. Si je me fie à mon haleine de fauve, deux yeux au beurre à l'ail noir.

Je soulève le menton. Les quelques caillots ont croûté dans mes narines. L'urgentologue m'a spécifié de ne pas y toucher avant plusieurs jours, le temps que les vaisseaux sanguins se cicatrisent. Sinon, les saignements recommenceront. Non merci. Les hémorragies, pas pour moi !

J'ai eu beaucoup de chance dans ma malchance. Mon os s'est fracturé, mais ne s'est pas déplacé. Sinon, le docteur aurait eu à le remettre à sa position normale et il m'a confié que la manœuvre était hyper douloureuse. Je n'ose pas imaginer ; ma douleur s'élève déjà à onze sur dix. Comme il est irréaliste de plâtrer un nez, il me suffira d'agir avec prudence pour guérir. Les parties de soccer ne sont pas recommandées. Ni les concours de celui qui se mouche le plus fort.

Compresse de glace durant quinze minutes toutes les deux heures, une Advil à chaque repas. Dans trois jours, l'enflure devrait avoir diminué. Le beurre, quant à lui, passera du noir au bleu, au vert, au jaune, puis au on-sait-plus-trop-c'est-quelle-couleur. D'ici là, je ressemblerai à un ado dont le pyjama party a mal viré.

Je sors des toilettes, trop lâche pour laver mes crottes dans le coin des yeux. Ce sera pour demain. Mes ecchymoses les camouflent, ce n'est pas une saleté qui nuira à mon look de raton.

– Comment tu vas ? s'inquiète ma mère en me saisissant le visage entre ses deux mains.

Elle se doute de la réponse.

– Ishhh, c'est enflé en tabarouette !

J'avais cru remarquer !

– Va falloir mettre de la glace. Tu dois crever de faim. Veux-tu que je te fasse des toasts ?

– Non merci, que je grogne en m'affalant sur une chaise de cuisine.

– Maxim a appelé ce matin. Je lui ai conté en gros ce qui s'était passé. Elle était inquiète, mais je lui ai dit que tu étais correct.

Ça dépend de ce que t'entends par «correct».

– Tristan a aussi appelé.

Lui, il va attendre.

– Il avait l'air énervé, j'ai l'impression que sa mère lui a tout raconté. Une chance qu'elle était là, sinon les jumeaux auraient continué à te frapper. Va falloir que tu ailles la remercier.

C'est elle qui avait composé le 911 et qui s'était portée à mon secours. Je n'en garde qu'un vague souvenir. Je me concentrais surtout à ne pas me vider de mon sang.

– Je peux lui téléphoner si tu préfères.

Elle vient pour répondre, puis réalise que je blague.

– De toute façon, faut que j'y aille pour récupérer la brassière de Gisèle.

Mon estomac gargouille, mais je n'ai pas la force de me relever et de m'occuper de mon déjeuner.

– Je mangerais des œufs pis du jambon.

Ma mère ouvre le frigo.

– On a des œufs, mais pas de jambon. Mais je peux te remplacer ça par du foie «si tu préfères», dit-elle en m'imitant avant de rigoler.

Contre toute attente, la bonne humeur est au rendez-vous. Je m'attendais à me faire sermonner toute la journée. Après tout, j'ai volé, menti mille fois, été impoli et je me suis battu. De la légitime défense, mais quand même.

Elle me popote des œufs brouillés ainsi que des bines Clark, mes préférées, noie le tout de sirop d'érable, puis me sert. J'avale mon déjeuner tout rond.

Une fois le régal terminé, elle sort un sac de frites McCain du congélateur.

– Ça va, merci m'man, j'ai plus faim.

– Non, j'ai fait de la glace à matin, mais elle est pas encore prête. On n'a pas de petits pois non plus, faque mets-toi ça. C'est mieux que rien.

Je descends au sous-sol, m'étends sur le divan et dépose avec délicatesse le sac de Superfries sur mon nez cassé. Les yeux clos, je commence à être bien, à ressentir l'effet du froid sur ma blessure lorsque madame Patate vient me rejoindre.

Est-ce que je peux faire quelque chose pour t'aider?

Elle soulève mes jambes, s'assoit et les dépose sur ses cuisses. Sans demander la permission.

– Je t'ai trouvé très courageux hier soir, me complimente-t-elle au bout d'un silence longuet.

Pas moi.

Elle ignore que j'ai pissé dans mes culottes, que j'ai fui au lieu de les confronter, que j'ai raté mon *Superman Punch* et que je me suis sauvé d'affaire avec un coup de pied dans les couilles.

– Merci.

– Je me sens coupable. Je m'en veux. Ça faisait cinq minutes que je demandais à Gérard de t'appeler, mais il était trop excité avec sa maudite partie de cartes. Comme si c'était le moment de s'amuser.

– Tu pouvais pas deviner.

– J'aurais dû insister. Tu serais pas étendu sur le divan avec un sac de frites sur le front!

– Peu importe, les piles de mon walkie-talkie étaient mortes.

– Je me serais douté de quelque chose, je serais sortie.

– As-tu gagné les autres?

– Les autres quoi?

– Les autres parties de cartes. Gérard m'a dit que t'avais gagné les deux premières.

Elle soupire.

– Tu t'es fait casser le nez, pis tu t'inquiètes de savoir si j'ai gagné. Eh que tu changeras pas!

Elle me donne une tape sur le ventre.

– AYOYE!!!!!!

– Oh, s'cuse-moi, j'y ai pas pensé. S'cuse-moi, s'cuse-moi.

– Ouch, il m'a frappé fort, le malade.

– Attends, je vais aller voir si on a un autre sac de frites!

Elle se lève. Au même moment, ça sonne. Elle se précipite au premier étage.

– Voyons, il est où, le christie de téléphone?

Le désavantage d'un sans-fil, c'est qu'on ne sait jamais où il se trouve. Nous ne le remettons sur la base que lorsque les piles faiblissent. J'ai tiré ma leçon. Dorénavant, je replacerai le téléphone à l'endroit conseillé.

Elle décroche finalement.

– Oui allô ? (...) Oui, juste une minute.

Elle redescend, la main sur le microphone.

– C'est encore Tristan.

– Dis-lui que je vais le rappeler plus tard.

– Il dit que c'est urgent.

Je soupire, dépose les Superfries sur le tapis et saisis le combiné.

– Oui, all...

– Vite, amène-toi, il est arrivé une catastrophe !

Chapitre 24

L'affaire est pet chaud

Tristan m'ouvre. J'espérais ne pas tomber sur madame Préfontaine. L'histoire de la brassière me gêne. Et je ne sais pas comment la remercier pour son acte de bravoure d'hier soir. Il paraît qu'elle a engueulé Kevin et Luc.

Merci, grâce à vous, j'ai toutes mes dents.

– Putain, t'as le nez de Pinocchio !

– Pour une fois que c'est moi qui saigne du nez.

– Vite, entre.

En enlevant mes souliers, je remarque le soutien-gorge sur un crochet.

– Qu'est-ce qui presse tant ?

– Chut ! Je ne veux pas que ma mère nous entende. Elle fait du lavage au sous-sol.

– Tu t'es refait voler ton bicycle ou quoi ?

– Pire encore !

Sa nervosité m'intrigue. Je le suis jusqu'à sa chambre. À l'intérieur, contrairement à la mienne, tout est rangé. En se fiant à la décoration, on pourrait croire à la chambre d'un enfant de huit ans : toutous, véhicules en LEGO sur des tablettes, couvre-lit de Transformers, affiches de chanteurs et chanteuses pop, tous aussi nuls les uns que les autres et une d'une série de livres pour filles.

– Est-ce que je peux savoir ce que tu fabriques avec un *poster* de Léa Olivier?

À peine ma question terminée, je remarque une montagne de poudre grisâtre sur son plancher, de l'autre côté de son lit.

– Tu te construis un carré de sable ou bien t'as vidé le réservoir de ta balayeuse?

Il grimpe sur son matelas et scrute le dégât de plus près.

– C'est pour ça que je t'ai appelé, on est dans la merde!

– On? Pourquoi?

Il ouvre un tiroir de sa commode et en ressort un vase. Bleu avec de l'écriture dorée. L'urne!

Mon cœur faiblit.

Gisèle va nous assassiner.

– Qu'est-ce que tu fous avec ça? que je m'écrie, furieux.

Il rougit.

– Eh bien, vois-tu, tout a commencé…

Je perds patience.

– Arrête de tourner autour du pot pis diguidine!

Il avale sa salive et desserre une cravate imaginaire autour de son cou.

– Hier, après qu'on s'est aperçus que la porte de la pièce secrète était verrouillée, tu es remonté t'habiller.

Alors moi, j'ai voulu me venger et... j'ai... j'ai caché le vase dans mon sac à dos.

– T'es donc ben con !

– Tu m'avais dit qu'ils avaient piqué mon vélo. Comment je pouvais deviner que tu te trompais ?

– Mais pourquoi tu l'as vidé par terre ?

– Je l'ai échappé tout à l'heure. Je voulais voir ce qu'il y avait à l'intérieur. Je savais pas qu'il était rempli de poussière.

– C'est pas de la poussière, sans dessein, c'est des cendres ! Le père de Gisèle est sur ton plancher !

– Quoi ? Qu'est-ce que tu dis ? Arrête de blaguer, c'est pas le moment.

– Je niaise pas. Tu sais c'est quoi du recel, mais tu sais pas c'est quoi une urne, innocent ?

Il passe du rouge au blanc.

– Non, mais je crois que je viens de piger, balbutie-t-il.

Je lui raconte toute la colère de Gisèle lorsqu'elle était venue cogner chez moi, hier matin, pour m'accuser de lui avoir piqué les cendres de son père.

– Je lui ai juré que c'était pas nous autres !

– Je pense...

– Merde !

– Oui, mais...

– Merde, merde, merde !

– Calme-toi.

– Me calmer ? Eille, t'as volé une urne avec tout ce qui reste de son père. C'est TRÈS grave !

Les larmes le submergent.

– J'ai essayé de vous le dire dans le cabanon quand Gérard nous filait.

– T'aurais dû essayer plus fort. Merde, merde, merde !

– Oui, ça tu l'as dit, tremble-t-il.

– T'es chanceux qu'elle ait pas cassé. Ça se répare pas, ça.

Il est là, à me fixer, les yeux vitreux.

– Reste pas là à rien faire. Va chercher un balai pis un porte-poussière qu'on remette Papy à sa place !

– C'est dégueulasse. J'ai un mort dans ma chambre !

Il part et revient en vitesse.

– Il faut qu'on se dépêche avant que ma mère remonte, dit-il en me tendant le porte-poussière rouge.

Il balaie la poussière, la rassemble en un monticule.

– Comment tu vas faire pour la rapporter chez Gisèle et Gérard sans qu'ils s'en aperçoivent ? que je lui demande.

Il éclaircit sa voix.

– J'ai pensé que tu pourrais le faire pour moi.

– Es-tu fou ? Ils vont m'arracher la tête !

– Ça me gêne. Et j'ai peur.

– Eille, j'ai passé ma journée d'hier à les convaincre que c'était pas moi. Les policiers ont fouillé la maison des Dupuis de A à Z pour la retrouver.

– Tu crois qu'ils vont être fâchés ?

– «Fâchés», c'est pas le mot !

– Aide-moi, gémit-il.

Je prends une lente inspiration et essaie de me figurer comment on peut se sortir de cet imbroglio. Une idée m'effleure l'esprit. Pourquoi ne pas tenter ma chance ? Depuis le temps que j'en rêve...

– Je te fais un *deal*.

– Ce que tu veux ! s'excite-t-il.

– Je rapporte l'urne, je leur dis que c'était moi tout ce temps-là qui la cachais, je me fais engueuler et tout le tralala. Et en échange, tu me donnes ton vélo.

Il sursaute.

– Quoi ? C'est absurde, je viens de le récupérer !

– Grâce à qui ?

– Toi et je t'en remercie. Mais moi, j'ai piqué le vase à cause de qui ? Toi !

– Je t'ai jamais demandé de le faire.

– Tu m'as pas demandé de pas le faire non plus.

– C'est crétin ce que tu dis. Je suis pas pour te demander tout ce que tu dois pas faire.

Je croise les bras pour ajouter à ma détermination.

– Écoute, c'est ton vélo où j'y vais pas.

– C'est injuste.

– Pas du tout.

– Si.

– Si quoi ?

– Ah non, tu vas pas recommencer avec ça ! Allez, choisis autre chose que mon vélo. Ma collection de

Hot Wheels ? Ma série complète de Léa Olivier ? Tous mes tomes sont signés par l'auteure.

– J'ai-tu l'air d'une fillette ? Elle a dû rire de toi. Tu devais être le seul gars dans la file.

– Tu sauras qu'elle m'a félicité d'assumer mes goûts. Elle m'a même dessiné un cœur sur une des dédicaces. Je crois qu'elle me trouvait charmant.

– Elle devait surtout te trouver musclé dans ton t-shirt moulant numéro 18. Allez, je veux ton vélo.

– Pas question.

– Parfait, je vais aller le dire.

Je m'avance vers la porte, saisis la poignée.

– MADAME PRÉFONTAINE, VENEZ ICI !

– Bordel, ta gueule !

Il me tasse du chemin et se plaque contre la porte pour m'empêcher de sortir.

– D'accord, d'accord, prends mon vélo, mais débarrasse-moi de ce foutu vase !

Yes !

– Marché conclu, dis-je sans démontrer mon excitation.

Nous nous serrons la main pour officialiser notre troc.

Ce vélo, je le désirais tant. Je le méritais tant. Après tout, la justice existe.

– Vite, on ramasse ! lance-t-il en récupérant son balai.

Je me penche et tiens le porte-poussière en angle. Il pousse les cendres vers moi. Quelques cheveux et poussières s'ajoutent au mélange.

Ça paraîtra pas.

Je vide le porte-cendres dans l'urne, puis replace le couvercle. Tristan arrache son sac à dos mauve à son garde-robe.

– Oublie ça, j'utilise pas ton sac de fille.

– Tu peux pas sortir d'ici avec l'urne comme ça.

– Va me chercher un sac d'épicerie, n'importe quoi.

– T'es vraiment un emmerdeur! rage-t-il en pénétrant dans le corridor.

Il revient sur la pointe des pieds et me tend un sac assez volumineux pour y fourrer un bébé éléphant.

– T'en avais pas un plus grand?

– C'est le seul que j'ai trouvé.

Je dépose le vase au fond et me dirige vers l'entrée. Au diable les excuses à sa mère, je les remets à plus tard. J'ai une mission à remplir.

Je saisis la brassière sur le crochet et l'enfouis dans le sac à côté de Papy. Ce sera la dernière fois où il verra un soutien-gorge de si près. Qu'il en profite.

Je me tourne vers la porte et saisis la poignée.

– Ah bonjour, toi! lance une voix. Content de voir que tu vas mieux.

Je fais volte-face. Madame Préfontaine sursaute.

– Oh, désolée, je m'attendais pas à ce que tu sois si mal en point. Aïe, aïe, aïe!

Elle s'approche pour examiner le gâchis. Je cache Papy dans mon dos.

– Ça paraît pire que ça en a l'air.

– J'espère que cette famille de cinglés va passer le reste de sa vie derrière les barreaux !

Moi aussi. Car l'école commence dans un mois et je croiserai les jumeaux. Tous les jours. Une polyvalente, c'est gigantesque, mais lorsque vient le temps d'éviter deux enragés, tout à coup, elle se fait trop petite.

– Je sais pas trop comment vous dire ça, mais merci beaucoup de m'avoir sauvé.

– Il y a pas de quoi. Tu es chanceux que j'aie fait de l'insomnie. Avec cette chaleur, j'arrivais pas à m'endormir. J'étais allée me verser un verre d'eau à la cuisine quand je vous ai vus.

Je songe à lui raconter qu'elle a failli tout faire flancher en déplaçant la machine à pression, mais mon pif me dit d'attendre à une autre fois.

Une fois dehors, je remarque la camionnette de Maxim qui s'éloigne. Ma blonde remonte mon entrée et s'apprête à cogner. Je siffle. Contracter la bouche de la sorte m'élance jusqu'à l'os du nez. J'avalerais un pot d'Advil, me semble que ça irait mieux après.

Elle m'envoie la main et me rejoint à la course.

– Je m'inquiétais, j'ai appelé ce matin pis tu me rappelais pas. *Oh my God*, ils t'ont défiguré !

Merci.

Elle s'avance vers moi et se met sur le bout des pieds pour m'embrasser.

– T'es certaine ? Tristan risque de nous voir.

– Ouin, pis ?

– Je sais pas, on dirait que t'as honte de sortir avec moi.

Elle sourit.

– Hier, quand j'ai su qu'on n'irait pas à la même école en septembre, ça m'a fait beaucoup de peine. J'ai pleuré toute la journée.

– Ça te tente-tu qu'on aille frencher ? que je lui demande, tout excité.

– Ah, t'es vraiment obsédé avec ça !!!! dit-elle en riant.

– C'est ça, avoir un chum. C'est ça qu'ils font, les adultes.

– Tu connais pas ça, le romantisme, toi ? Et puis il y a un truc que je veux te dire depuis l'autre jour par rapport à ça, mais ça me gêne.

– C'est quoi ?

– Viens, je vais te le dire en marchant. Qu'est-ce que tu fais avec un gros sac ?

– C'est le tata de Tristan qui avait piqué l'urne, pas les jumeaux.

Elle s'arrête.

– Hein ! Mais de quoi tu parles ???

Je réalise alors qu'il lui manque un important segment de la saga. Je lui raconte les grandes lignes de la gaffe de Tristan pendant que nous nous dirigeons vers la demeure de Gisèle et Gérard.

Nous nous immobilisons devant la porte, celle où la compagnie Top Moppe avait effectué le premier et dernier discours de vente de son histoire il y a tout près de quarante-huit heures.

– Et c'est quoi ton affaire gênante ?

– C'est trop long à expliquer.

Je sonne, sors l'urne du sac et la place devant moi tel un livreur de pizza. Sauf que je ne soulève pas le couvercle.

– Faut que je t'avoue quelque chose de con, dit-elle.

– Quoi ?

– Vendredi soir, dans le cabanon, c'est moi qui avais pété.

Je pouffe de rire.

– C'est sorti tout seul en forçant sur le barbecue. J'avais mangé du houmous !

Gisèle ouvre.

Et éclate en sanglots.

Des larmes de joie.

Chapitre 25

Merci à toi, Batman!

C'est le plus gros des clichés, mais la pleine lune est à couper le souffle. Bizarre que ce phénomène soit associé aux films d'horreur. Elle est toute là, complète, pas de partie cachée. Une sphère parfaite, comme les iris de Maxim.

Crevé, je me prépare à aller me coucher. Même s'il n'est que vingt et une heures. En déficit de sommeil intense, j'ai lutté sans relâche pour ne pas m'évanouir dans mon assiette de pâté chinois.

Mais avant de dormir, je voulais revenir ici, dans le cabanon, pour y admirer mon nouveau vélo pour la dernière fois aujourd'hui. Il y passera sa première nuit.

Je me suis promis d'aller le réessayer demain. La première fois, c'était l'hiver passé, dans l'école. Maxim avait battu mon temps.

Je suis content que les crottés d'à côté aient enlevé la clochette. Une tâche de moins à faire. Ils l'ont même tout lavé, question de faciliter sa revente.

Je n'ai pas respecté mon marché. Dès que Gisèle m'avait demandé où j'avais trouvé l'urne de son père, je lui avais avoué que Tristan l'avait piquée et qu'il la cachait chez lui.

C'est à l'intérieur de la remise que Maxim et moi nous sommes enfin embrassés cet après-midi, le seul endroit tranquille que nous avons pu dénicher. Dans ma chambre, ma mère nous aurait dérangés pour nous offrir des raisins, puis de l'eau, puis un popsicle, puis de l'eau à nouveau.

«J'aime pas ça quand tu m'embrasses avec ta langue.»

La fameuse chose qui la gênait, qui la retenait, c'était ça. Même si elle ne l'a pas affirmé en ces mots, j'ai deviné que j'embrassais comme un pied. Sur le coup, ça m'a frustré, mais comme j'ai la moitié du visage paralysé, je n'aurais pas pu commencer à lui rouler ma langue de lézard. Alors on a échangé un baiser doux. Et j'ai adoré.

Je caresse la selle de mon vélo, referme la porte et la verrouille par mesure de sécurité. Quoique les Dupuis risquent de se tenir loin des cabanons dans les prochains temps.

Je remets la clé dans ma poche de bermudas et en ressors le billet de vingt dollars. Celui dont mes amis ont oublié l'existence et qui me servira à acheter un cadeau de fête à Maxim. Maintenant que je suis un expert des petites annonces, peut-être que je dénicherai un truc cool sur Kijiji...

Une ombre au-dessus de ma tête. Par instinct, je me penche. Disons que j'ai les nerfs à vif dernièrement. Une chauve-souris file vers les cèdres au fond de la cour. Je n'en avais jamais croisé une auparavant.

Je m'avance vers l'endroit où elle s'est posée, tout près du poteau électrique où est fixée l'autre extrémité de la corde à linge.

Je m'approche.

Et je la vois.

Accrochée à une épingle, tout au bout de la corde, coincée dans la poulie.

Poussée par le vent, cachée par le branchage, invisible du perron.

Je ris.

Je saute et l'attrape du bout des doigts. Sous le poids de mon corps qui retombe, elle décroche.

La chauve-souris s'envole à nouveau et, pour une raison que jamais je ne m'expliquerai, je la salue et la remercie.

J'entre, descends au sous-sol, enroule la brassière dans une serviette et enterre le tapon dans le fond du panier à linge sale.

Je me relève, satisfait.

J'ai déjà hâte à la prochaine brassée…

Remerciements et menaces de mort:

Mon premier remerciement te revient. Oui, c'est à toi que je parle. Je m'excuse, je ne me souviens plus de ton prénom. Comme tu le sais, j'ai une mémoire de pétoncle. Donc pour ne plus que je l'oublie, écris-le sur la ligne juste ici: ___________________________.

Un gros merci à tous mes fans. Lorsque *L'affaire est pet shop* est sorti en février 2013, j'étais un total inconnu dans la sphère de la littérature jeunesse. Plusieurs libraires ont longtemps gardé les boîtes dans l'arrière-boutique de leur magasin, peu pressés de les mettre sur les étalages. Je me souviens aussi qu'à mon premier Salon du livre, j'accrochais tous les jeunes de Québec qui passaient devant ma table et tentais de les convaincre d'essayer ma série. Depuis, j'ai tout fait pour aller vous chercher un à un et je suis très fier qu'après seulement deux ans, je sois l'un des auteurs pour jeunes les plus populaires du Québec. Et dire que *Bine* a bien failli ne jamais voir le jour…

Merci à mes fans sur Facebook. C'est pour vous que cette page a été créée, certainement pas parce que j'aime ce réseau social. C'est toujours avec grand plaisir que je réponds à vos questions et commentaires.

Même vous, les tannants, qui me demandez sans arrêt la date de sortie du prochain tome de la série !

Merci à tous les profs qui font connaître ma série à leurs élèves. C'est de loin la meilleure publicité dont je puisse bénéficier. Un merci particulier à tous ceux qui m'ont invité à venir présenter des conférences. J'ai énormément de plaisir à faire rire vos p'tits monstres.

Merci à toutes les mamans qui lisent mes livres en cachette et qui m'écrivent des commentaires élogieux. Je suis bien au fait que mes mollets poilus derrière mon tome 3 vous émoustillent.

Merci à l'équipe des Malins, particulièrement Marc-André et son excellent sens du marketing et Katherine et ses conseils judicieux.

Merci à Kennes Éditions de pousser ma série en Europe. Si au secondaire quelqu'un m'avait dit qu'un jour mes bouquins seraient vendus à Paris, je lui aurais ri dans la face ! Encore aujourd'hui, j'ai de la difficulté à réaliser ce qui m'arrive…

Merci à Sylvain Lavoie, mon illustrateur. Une part du succès commercial de Bine lui revient.

Merci à Pierre-Yves et Fleur, mes correcteurs que j'adore.

Merci à Antonio Di Lalla qui suit ma carrière avec attention et générosité. Suite à sa critique de mon tome 3, j'ai mis un maximum de ses remarques en application pour le tome 4. Résultat : *Au royaume des 10 000 mouches noires* est, à mes yeux et à ceux de bien des fans, le meilleur de la série.

Merci à ma mère d'avoir lu, commenté et corrigé mon brouillon.

Comme je suis totalement incapable d'écrire sans musique, je tiens à remercier tous les groupes qui me permettent de plonger dans ma zone créative et d'écrire mes histoires niaiseuses et mes blagues de pet. Un merci tout spécial aux albums *Sempiternal* de Bring Me the Horizon et *Get What You Give* de The Ghost Inside que j'ai écoutés sans arrêt lors de l'écriture de ce tome et du précédent. Bon, ils ne seront pas au courant que je les adore, mais ça me fait plaisir de ploguer mes goûts. Si un jour on peut se débarrasser de la musique pop insipide, je serai bien heureux !

Merci à Louis-José Houde d'être le plus grand humoriste du Québec et de toujours placer la barre très haute. À force de le remercier de tome en tome, il y a bien quelqu'un qui va lui faire le message un moment donné.

Merci à Mike Ward d'écrire les jokes de bizoune les plus drôles au monde. À force de le remercier de tome en tome, il y a bien quelqu'un qui va lui faire le message un moment donné.

Non merci à Stephen Harper et à ses idées régressives. À force de ne pas le remercier de tome en tome, il y a bien quelqu'un qui va lui faire le message un moment donné.

Merci au logiciel Antidote de m'aider à construire des phrases plus riches. Si jamais vous avez besoin d'un porte-parole, je suis partant n'importe quand!

Un merci tout sexy à madame Victoria Secret qui a bien voulu répondre à toutes mes interrogations par rapport aux soutiens-gorge.

Parlant de sexy, non merci à mes cheveux gris.

Non merci à ma cheville gauche, qui n'en est plus une, à mon bassin qui m'incommode au plus haut point ainsi qu'à mes poignet et coude droits qui m'ont causé bien des ennuis au cours des dernières années, si bien que j'ai dû apprendre à utiliser une souris de la main gauche. Faire des copier-coller a été ardu les premières semaines. Ouin, finalement, je suis un vrai p'tit vieux!!!!

Merci à toi, chère coriandre. Ton parfum m'envoûte. Sans toi, mes *smoothies* le matin ne seraient jamais les mêmes. Tu me permets de commencer mes matins en extase.

Non merci aux biscuits soda, vous êtes vraiment dégueulasse. Surtout ceux sans sel. *Come on!*

Merci à la pulpe d'exister. Sans toi, le jus d'orange ne serait pas buvable.

Merci au chocolat d'exister. Sans toi, l'eau chaude ne serait pas buvable.

Non merci à l'hiver, tu m'emmerdes sérieusement.

Non merci à l'hiver. Je viens de te le dire, mais je voulais te le redire pour que ça te rentre bien dans le coco.

Non merci à Hulk, Superman, Spider-Man, Thor, Captain America, Iron Man, aux X-Men, aux Fantastic Four, Optimus Prime et aux autres imbéciles de Transformers ainsi qu'aux cent mille autres superhéros que j'ai oubliés. Je vais vous le dire parce que tout le monde a peur de vous : vos films sont super plates !

Mes derniers remerciements, et non les moindres, vont à Adèle, à Jérémie et à leur magnifique maman Marie-andrée qui aime bien écrire son nom avec un « a » minuscule pour se donner du style. Elle se trouve aussi à être ma femme et je profite de l'occasion pour lui dire trois petits mots : je t'aime.

Ah oui, j'allais oublier le p'tit troisième à l'état de fœtus dans le ventre de sa maman. Merci en avance et je te souhaite la bienvenue dans l'univers très niaiseux de Bine et de ton papa.

(Cette page blanche est mise à ta disposition si jamais tu as un urgent besoin de te moucher et qu'aucun kleenex ou manche de chandail n'est à ta disposition.
Je te recommande de la déchirer avant l'opération.)

Procurez-vous dès maintenant la marionnette Charles Leblanc!

Terroriser de jeunes enfants n'a jamais été aussi amusant !

Grâce à ta marionnette, prononce des phrases tordantes telles :
« Y'a du poison dans ton biberon »,
« Je vais revenir te voir pendant ta sieste »
et « Maman est partie pour toujours » !

Joins une secte louche
ou Bine sur Facebook!
www.facebook.com/BineLeLivre
www.facebook.com/OrdreSolaireDesOiseauxCuiCui

Bine

tome 6

Disponible avant le tome 7!